ちくま新書

哲学の問い

青山拓央
Aoyama Takuo

1813

哲学の問い【目次】

はじめに

本書には、さまざまな問いを投げかける二四の文章が収められています。

「国家の存亡がかかっているとき、国外に逃げ出す自由はあるか」

「世界は物質だけでできているという考えは、科学的だと言えるのか」

「誰もがマスクを着けている生活は、恋愛について何を教えてくれるか」

「どんな信号が届いたら、それを宇宙人からのメッセージだと思うか」

「犯罪者は、非難の対象ではなく治療の対象として扱われるべきか」

「何かが本当に存在しているとは、いったいどういう意味なのか」

……等々。これらはどれもが興味深く、そして、哲学に入門する際の良い「門」になってくれる問いです。これらの問いのそれぞれについて読者にじっくりと考えてもらうとともに、それを通して哲学的な思考に親しんでもらうことが、本書の目的です。

二四の文章は独立したものとして書かれているので、好きな順番で読んでもらって構いません。読者が自分で考えていくためのヒントがどの文章にも含まれていますし、関連図書を探すためのブックガイドも付いています。

本書の特色を伝えるため、他の本の批判めいたことをちょっとだけ書かせてください。哲学史における有名な問い（あるいは思考実験）を集めたカタログのような入門書はすでにたくさんありますが、そうした本の多くでは、哲学の問いがほとんど死にかけています。それぞれの問いについて誰々はこう言った、という表面的な解説が並べられているだけで、著者自身がその問いを本気で考えた形跡がなく、どうして著者がその問いに惹かれたのかも伝わってきません。

哲学の問いの生きている姿を読者に見てもらうには、著者自身がその問いと取っ組み合い、たとえ不格好であれ思考を紡（つむ）ぎ出す姿を見てもらうことが必要です。「哲学を学ぶことはできず、哲学をすることだけが学べる」というカントの有名な言葉がありますが、この言葉を、「哲学の問いを学ぶことはできず、哲学の問いと取っ組み合うことだけが学べる」と言い換えても、カントの言いたかったことは損なわれないでしょう。

そんなわけで、生きた哲学の入門書であることを目指す本書には、著者が過去の哲学者たちから学び取ったことだけでなく、著者自身が哲学の問いと取っ組み合う様子も書かれています。そうすることで、何よりも、〈哲学をするとはどのようなことか〉を読者に伝えたいと考えているからです。

†本書の構成

本書は前編と後編に分かれており、文章のスタイルが異なります。前編にあたる〈対話〉編では、二人の人物の対話を通して哲学の問いがあぶり出されていきます。私のなかでその二人は二〇歳くらいの男女としてイメージされていますが、これはちょうど、後述する私の授業に参加してきた学生たちに重なるイメージです。そして、後編にあたる〈論述〉編では、いわゆる論述形式で哲学の問いが提示され、〈対話〉編よりもカッチリとした分析が進められていきます（ただし、論述形式といっても、専門的な予備知識なしでも読むことができるように書かれています）。

本書をこのような構成にしたのは、哲学をすることの中心に「問いを育てる」ことがあり、そして、哲学の問いを育てるには二つの段階が必要であると私が考えているためです。それはいわば、問いを横に育てる段階と、問いを縦に育てる段階にあたります。

哲学の問いは、始めから完成した個別の問いとして姿を現すのではありません。ボンヤリとしたある問いが次のボンヤリとした問いを生み出すという仕方で、小さな問いが横へ横へと増殖していくところから哲学は始まります。この段階では、論理的な繋がりを少々犠牲にしても自由で活き活きとした発想をぶつけ合うことが大切です。私は学生時代に多くの対話を通してこのことを知りました。一人で考えることが増えてからも、私の頭のなかではしばしば複数の人格が対話して問いを横へと育てています。本書の前半を〈対話〉編としたのは、まさにこの、対話による問いの増殖がどのようなものかを見てもらうためです。

さて、こうして育った複数の問いのなかに、とくに強い輝きを持った問いが見つかることがあります。ここからは、その特定の問いを縦に育てていく段階です。この段階に入ったら、論理的な繋がりの強さを優先しなくてはなりません。樹木にたとえるなら、余計な枝を切り落とし、ある一つの方向に樹木を伸ばしてやるということです。つまるところ、これは一貫性を持った文章としての論述によってのみ可能になることであり、問いは論述を経て初めて、真に個性的な問いとなります。本書の後半にあたる〈論述〉編では、問いがその問いならではの個性を持ち始めていく様子を見てもらいたいと思っています。

（本書にはこのほかに、哲学に関する三つのコラムも収められています。）

†なぜ、これらの問いなのか？

本書での問いの品ぞろえに関して、「なぜ、これらの問いを選んだのか」と訊きたい方がいるでしょう。私自身が惹かれる問いをバラエティ豊かに選んだというのが第一の理由ですが、第二の理由を述べるためには、本書が生まれた経緯について少し説明が必要です。

本書のような、さまざまな問いを育てていく哲学入門書を書くことに決めたのは、京都大学で私が受け持っているある授業がきっかけでした。文系／理系を問わず、いろいろな分野の学部生が集まって対話をし、哲学に入門する授業です。この授業では毎回、一〇分間ほどで読み終わる文章の資料を学生たちに配布し、それについて思うところを自由に議論してもらいます。これまでの約七年間に、哲学者、科学者、小説家など、さまざまな人々が書いた文章を一〇〇篇近く扱ってきましたが、それらの提起する問いのなかには学生たちの哲学的な思考を強く喚起するものもあれば、そうでないものもありました。本書での問いの選定にあたっては、この経験が大いに生かされています。

ところで、この経験を通じて分かったことですが、どのような文章のどのような問いが活発な対話を引き出すのかは、私のほうで予測しきれません。学部生である受講者の多くはまだ頭が柔らかく、特定の学問分野の思考スタイルに染まり切っていませんから、たとえば文系／理系といった区別はこの予測にほとんど役立ちません。また、自分が本当に面白いと思った問いでないと議論に熱が入らない受講者もおり、彼らにとって、《この問いは歴史的にずっと重視されてきた》という説明や、《この問いはいま社会的に注目されている》という説明は、必ずしも熱をもたらしてはくれません。こうした説明は、問いそのものの価値を語るものというより、いわば「世間の価値観」に照らして問いを価値づけるものにすぎないからです。

　以上のような学生たちの反応にこれまで接してきたおかげで、私は本書で自信を持ってさまざまな問いに光を当てることができます。そのなかには、ほかの入門書に見られないような一見くだらない問いも含まれていますが、そこからもじつは興味深い対話を引き出すことができるのです。

　もちろん、本書の問いのすべては私が目利きしたものであり、その目利きの最終的な責任は私にあります。ですが、私一人の「目」だけでなく、まさに哲学の初学者である学生たちの「目」を借りたことで、本書は哲学の入門書としてより自由なものになっているはずです。《哲学の入門書で扱われる問いは、こういうものであるべきだ》という先入観にとらわれず、一人ひとりの読者が自分の頭で考え、そしてその考えを他者と交換したくなるような、そういう問いを投げかける一冊になっている、ということです。

†話題の時事性について

私は本を書くときに、一〇年経っても二〇年経っても読む価値のある本を書きたいと思っています。ですから、いわゆる時事的な話題を本に取り込むことは、あまりありません。しかし、本書では、コロナウイルス禍でのマスク着用生活や、チャットGPTの登場への反響や、「親ガチャ」という言葉の流行など、二〇二〇年代前半の生活にかかわる話題がいくつか取り上げられています。この理由について、〈はじめに〉の最後に書いておくことにしましょう。

第一の理由は、学生たちとの活きた対話をきっかけにして本書が生まれたことに関わっています。哲学者の大森荘蔵は、普段の生活としっかり繋がった、自分の実感の伴う言葉で哲学をすることを勧めました（彼はそれを「台所言葉で哲学をする」と表現しました）。私も先述した授業で、変に難しい言葉ではなく実感の伴う言葉を使って対話することを学生たちに勧めてきましたが、このことによって、ときに話題が時事性を帯びることがありました。本書での話題の選定には、その「なごり」が見られます。

そして、より重要な第二の理由は、時事的な話題を時事的な対立のなかでのみ消費してしまわないことの意義を、実例を通して伝えたかったことにあります。時事的な話題は、時事的な何らかの対立とともに議論に現れることが多く、それゆえ、その対立のどちらの極に立つべきかといった仕方で問いが立てられることがしばしばです。たとえば、コロナウイルス禍での生活に関してなら、《マスクの着用を全員に義務づけるべきか》というような問いが立てられがちだということです。

こうした問いの立て方には同時代的な意義があるとはいえ、哲学的な観点からいえば、問いの立て方が制約されすぎています。私たちは、自分の日常生活を虚心坦懐に見つめることで、あんな所からも、こんな所からも、普遍性の高い哲学的問いを取り出すことができます。そして、あなたにとって本当に価値を持った哲学的問いを取り出したいなら、たとえ時事的な話題から思考を始めた場合でも、時事的な問いの立て方なんかに縛られるべきではありません。時事的な話題を扱った本書のいくつかの文章を——さらにコラム1とコラム2を——読まれたなら、私がいま述べたことをより良く理解してもらえるでしょう。

もし、二〇四〇年に本書を読んだ高校生がいたら、《疫病のせいで数年間もクラスの全員がマスクを着けていた》という話にまるでリアリティを感じないかもしれませんが、それでも、この話を踏まえて本書で提起された問いは、その高校生にとっても価値を持つことが大いにあり得ると私は信じています。

〈対話〉編

1　それ自体として価値あるもの

――やりがいのある仕事とは、どんな仕事だろう？　いい人生を送るために、やりがいのある仕事が必要なのだとしたら、それはいったいなぜだろう？


「いい人生を送るためには何が必要だと思う？」

「そうだなあ。やっぱり、まずは健康とお金じゃない？　それから、やりがいのある仕事とか、仲の良い家族とか友人とか。あとは、趣味を楽しむ時間も欲しいかな」

「へんにひねった答えじゃなく、ストレートな答えをありがとう。たしかに、きみが言ったものを十分に備えている人は、いい人生を送る可能性が高そうだ」

「いい人生を送るっていうのは、幸せに生きるっていうのと同じような意味だよね？　そういえば、わたしが最近読んだ本に、《幸せは、道具的な価値じゃなく、それ自体としての価値を持ったものでできている》と書いてあったな」

「道具的な価値って何のこと？」

「ほかの何かを得るための道具としての価値ってこと。たとえば、お金はそれ自体として価値があるというより、欲しいものを買ったり必要なケアを受けたりするときに使えるという意味で価値があるわけだから、お金の価値は道具的な価値だって言える」

「お金を使って手に入れるものにも、お金とは違った価値があるよね？　たとえば、ぼくがパンを買ったとき、そのパンにはお金とは違う価値がある。でも、パンの価値って、これもまた道具的な価値だと考えていいのかな？」

「そうだね。食べたときに美味しさを感じるとか、食べた後で体の栄養になるとか、そういう結果を得るための道具としてパンには価値があるんだろうから」

「すると、お金でパンを手に入れることは、道具的な価値を持つものを使って、また別の道具的な価値を持つものを手に入れることになるわけだ――。改めて考えてみると、人生のなかには、こういう、〈道具的な価値から道具的な価値への連鎖〉って多い気がするな。しかも、この連鎖がずっと続くこともある。たとえば、良い高校に入るために頑張るのは良い大学に入るためで、良い大学に入るために頑張るのは良い会社に入るためで、良い会社に入るために頑張るのは良い肩書を得るためで……、という感じで、ぼくのある友達はずっと追い立てられるようにして生きている」

「そういう人はいるだろうね。そして、そうやって〈道具的な価値から道具的な価値への連鎖〉がずっと続いていくだけだとすると、人生はつねに未来のために今を過ごすだけのものになっちゃって、いつまで経っても幸せになれない……。だからこそ多くの哲学者が、道具的じゃない価値を持つものによって幸せはできている、と考えたみたいよ。つまり、それ自体としての価値を持つものによって幸せはできている、と」

†仕事と愛情

「その話はなるほどと思うけど、引っかかるところもある。たとえば、きみはさっき、いい人生を送るためには健康とお金が必要だろうって言ったよね。でも、お金が持つ価値は道具的な価値だし、健康が持っている価値のほうも、ぼくには道具的に見える。だって、健康な身体が良いものなのは、それを使って何かができるからでしょ?」

「わたしはほかに、どんなものを挙げたっけ? たしか、やりがいのある仕事とか、仲の良い家族や友人とかを挙げたと思うけど、これらのものについてはどう思う?」

「難しい。何が難しいかっていうと、それ自体としての価値を持つのかどうかを考え始めると、それらのものが何を指しているのかがボンヤリしてしまうんだよね。たとえば、やりがいのある仕事って具体的に何を指しているの？　自分の力を発揮できる仕事のことなのか、やっていて楽しい仕事のことなのか、ひとの役に立つ仕事のことなのか、がんばった分だけ稼げる仕事のことなのか、あるいは、その全部なのか――。それに、どんな仕事にだって辛い部分がいろいろとあるはずで、やりがいのある仕事に就いている人も、その仕事をしている時間のすべてが幸せであるとは言えないでしょ？　それじゃあ、それ自体としての価値を持つ仕事って、ある仕事のどの部分までを含むの？」

「そう言われると……、〈やりがいのある〉って表現が、すでにズルい表現になっていたのかもしれないな。それは人生にとって良いものなんだっていう評価をあらかじめ済ませた表現になっていて、その内容が細かく述べられてはいない」

「そして、その仕事の内容を細かく述べようとすると、その仕事それ自体じゃなく、その仕事によって得られるもののほうが大事に見えてくる。たとえば、《やりがいのある仕事とは、自分の力を発揮できる仕事のことだ》と答えてしまうと、本当に価値があるのは自分の力を発揮することのほうで、この目的が果たせるなら別の仕事をやったっていいことになる」

「わたしが言った〈仲の良い家族や友人〉のほうはどうだろう？　〈仲の良い〉っていう

ボンヤリとした言い方も、あらかじめ評価を済ませたうえで、価値についての具体的な問いを突っぱねるようなところがあるかもね」

「そうだね。そしてここには、何というか、道徳的な問題もありそうだ。つまり、《あなたの人生を良いものにしてくれる仲の良さって具体的にどんなもの？》と尋ねること自体が不道徳だと思われる面がある。《その仲の良さって、家族や友人があなたを支えてくれたり喜ばせてくれたりするような仲の良さなのか——、だとすると、その仲の良さは道具的な価値を持つものなのか？》といった質問が不道徳だと見なされるってことだね。でも、この辺りをぼやかしたままだと、《家族や友人との愛情関係というのは、とにかく、それ自体として価値あるものなんだ》っていう、分かるようで分からない答えで話が済んだことにされそうだ。そして、この答えに疑問を持つ人は愛情関係の素晴らしさを知らない可哀想な人だ、ということにされてしまう……」

†一つのストーリーとして

「わたしが読んだ本のなかでは、それ自体としての価値を持つものの例として、たしかに愛情が挙げられていたな。あとは、知識とか自由とか。でも、きみの話を聞いていたら、愛情や知識や自由と言うだけじゃ抽象的すぎて、どうしてそれ自体に価値があると言えるのか分からなくなってきた。そして、具体的なものとしてそれらを理解しようとすると、どうしても、それらによって何が得られるかが重要なんじゃないかって思えてくる。つまり、それらの持つ価値は道具的なんじゃないかっていうふうに」

「具体的なものとして理解しようとすると具体的な成果を語ることになりがちで、でも、具体的な成果を語ってしまうと、それ自体の価値ではなくなってしまう、ということか。これって一種のパラドックスかもしれないね——。ところで、きみの読んだ本のなかでは、それ自体としての価値を持つものとして、ほかの例も挙げられていたの？」

「快楽をその例に挙げる哲学者もいるって書いてあったよ」

「なるほど、たしかに快楽というのは適切な例かもしれないな。快楽にそれ自体としての価値があるのは、快楽によって何かが得られるからじゃなく、まさに快楽それ自体がぼくらを幸せにしてくれるからだってことだよね」

「うん。そして、ここで言う快楽っていうのは、とても広い意味で捉えていいみたい。喜びとか、楽しさとか、嬉しさとか、気分の良さとか、そういったものがまとめて快楽と呼ばれてる」

「すると、きみがさっき言った〈趣味を楽しむ時間〉というのは、快楽に関するものになるのかな？　でも、細かく考えてみると、趣味というのはそれによって楽しみを得るための道具的な価値しか持たない、と言える。つまり、趣味そのものはそれ自体としての価値を持っていない、と」

「うーん、言いたいことは分かるけど、それは何だか変な感じがするな。趣味から、趣味による楽しさだけを、そんなふうに抽出することなんてできるのかな？　趣味って、それに伴った楽しさをひっくるめたものとして趣味なんじゃないの？　そして、趣味の時間のなかにも辛く感じる時間はあるけれど——たとえば嫌いな練習を続けたり試合に負けて悔しかったり——趣味というのは、楽しいところも辛いところも全部ひっくるめて一つの趣味なんだと思う」

「ある趣味を楽しむことと、ある趣味の結果として楽しみを得ることとは、微妙に違うというわけか……」

「やりがいのある仕事についてのきみの話を聞いていたときにも、似たようなことを思ったな。〈やりがいのある〉という表現には、たしかにズルいところがある。ただ、一方で、〈やりがいのある〉と言われる仕事をいろんな要素にバラしてしまって、それ自体としての価値を持った本質的な要素だけを抽出しようとすることは、悪い意味で分析的すぎるかもしれない。その仕事は、良い部分だけじゃなく悪い部分もひっくるめて、やりがいのある仕事になっているのかもしれない。言ってみれば、その全体が一つのストーリーに包まれるようにして――。だから、わたしは、いい人生を送るためにやりがいのある仕事に就きたいけれど、やりがいのある仕事の何か本質的な要素がそれ自体としての価値を持つ必要はないと思うよ」

ブックガイド

『人生の意味の哲学入門』、森岡正博・蔵田伸雄（編）、春秋社。

成田和信『幸福をめぐる哲学――「大切に思う」ことへと向かって』、勁草書房。

2 同じ色を見ている？

――ふたりの人物のあいだで色の見え方が逆転していても何も問題は生じない、とジョン・ロックは述べた。* でも、誰がその逆転の事実を「見て」いるのだろう？


「猫にはぼくと違うふうに、ものの色が見えているらしいね。猫にはこんなふうに景色が見えているんじゃないかっていう、加工された画像をこの前見たよ」

「その画像はどんな感じだった？」

「全体的に色が薄くて、青色っぽかったり黄色っぽかったりした。猫の網膜には、おもに赤色を検知するための細胞がないんだって。そして、ほかの色に関しても検知力は人間ほど強くないらしい」

「それじゃ、色覚異常と言われる人たちのように、多くの人間には見分けられる色を猫は見分けられないってことか。わたしのお兄ちゃんみたいに、赤色と緑色の違いがうまく見分けられなかったりするのかな」

「そうだね。その代わり、猫の目は明暗の検知力が高いから、暗闇でも目が効くけれど」

「こういう話を聞くと思うんだけど、色覚異常じゃない人間同士でも、ある色を見たときに同じ色を見ているってなぜ言えるのか不思議じゃない？　わたしが見ている赤色と、きみが見ている赤色は、違ったふうに見えているかもしれない」

「でも、色を見分ける能力は、ぼくたちのあいだでほとんど変わらないでしょ？　どんなものが赤色で、どんなものが赤色じゃないかの判断も、ほとんど一致する」

「色を見分ける能力にぜんぜん違いがなかったとしても、それぞれの人に見えている色の見え方が違うことはあり得るんじゃないの？　たとえば、わたしが赤色を見ているときに見えている色は、きみが緑色を見ているときに見えているような色かもしれない。そして逆に、わたしが緑色を見ているときに見えている色は、きみが赤色を見ているときに見えているような色かもしれない」

「色を見分ける能力は変わらずに、色の見え方だけが逆転しているってことか。たしかに、色相環をぐるっと回したみたいに色の見え方が逆転していたら、色についての判断が食い違うこともなさそうだ。たとえば、赤色と青色の絵の具を混ぜると紫色になる、といった判断も」

「そんなふうに見え方が逆転していても、わたしたちがそれぞれその見え方のもとで幼いころから育ってきたのだとすると、何も混乱は生じないと思う。二人とも、熟したトマトや郵便ポストなんかの色を「赤色」と呼ぶように教わり、茹でたホウレン草やアマガエルなんかの色を「緑色」と呼ぶように教わって、ちゃんとそうした色の名前を使えるようになるわけだから」

「そういうふうに育ってきたのなら、ぼくたちのあいだで色の見え方の違いが表面化することはなさそうだね。色についての判断だけじゃなく、赤色を見ると奮い立つとか、ちょっとドキドキするとか、色へのそうした反応もだいたい一致すると思う。ぼくにとっても、きみにとっても、赤色を見るときに見えている色は炎や血の色なんだから」

——という会話から一週間後。

「このあいだの話だけど、わたしはちょっと、よく分からなくなってきた。わたしときみとのあいだで色の見え方が逆転してても、そのことが表面化しないのは、けっきょく、わたしが見ている色はわたしにだけ見えていて、きみの見ている色はきみにだけ見えているからだよね」

「うん。二人とも相手の見ている色を直接見ることはできないから、色について話し合うときは、〈夕日の色は赤色か〉とか〈オレンジ色は、緑色と黄色のどっちに似ているか〉といった色の識別に関する話しかできない。ぼくたちがそれぞれに見ている色を直接見比べることはできない」

「それじゃあ、わたしたちのあいだで色の見え方が逆転しているっていう話は、いったい誰がしているの？」

「えっ？」

「わたしが赤色を見ているときに見えている色が、きみが緑色を見ているときに見えている色と同じ色だということを、誰が見ているの？　だって、色の見え方というのは、必ず、誰かにとってのものでしょ？　いまは、光の波長とかそういうものが問題になっているんじゃない。たとえ同じ光の波長でも二人には色が逆転して見えているかもしれない、という話だったはずだから。だとすると、わたしでもきみでもない立場から、二人の色の見え方が逆転しているって言っている人も、その人なりに色が見えているんじゃなきゃいけない」

「うーん」

「そして、その第三の誰かは、わたしに見えている色やきみに見えている色を直接見る力を持っているはずだけど、誰にもそんな力は持てないっていうのが話の出発点だったんじゃないの？　つまり、わたしに見えている色はわたしにしか見えないし、きみに見えている色はきみにしか見えないっていうことが」

「ということは、色の見え方が逆転するという話で伝えたかったことの核心は、色の見え方が逆転するなんて話は誰にも**できない**、ということなの？　でも、これって、色の見え方がぼくたちのあいだで一致している、という結論とは別だよね」

「別だと思う。色の見え方はわたしたちのあいだで逆転しているとも一致しているとも言えない。どちらが正しいかが分からないからじゃなくて、そのどちらか一方が正しいとはどういう状況なのかがそもそも分からないから」

†脳を繋げる

「それがどういう状況なのか分からないのは、他人に見えている色を見るということの意味が不明瞭だからだね。でも、もしも新しい技術によって、ぼくの脳ときみの脳とをたとえばケーブルで繋げられたとしたらどうだろう？　そして、ぼくの目が捉えた情報を、きみが目をつむったまま映像として見られるようになったとしたら？」

「それはすごい技術だけど……、でも、その場合にも、他人であるきみに見えている色をわたしが見ることはできないと思う。その場合には二つの可能性があって、一つは、きみの脳から送られてきた信号をわたしの脳が受け取って、そして、わたしの脳のもとで映像が体験されているという可能性。このとき、わたしはあくまでも、わたしにとっての色を見ていることになる」

「なるほど」

「もう一つの可能性は、きみの脳とわたしの脳とが融合して、その単一の融合体のもとで映像が体験されているという可能性。このときには、もともと存在していた二人のそれぞれの意識は消失して、新たに現れた一つの意識が映像を体験することになる」

「だから、どちらの可能性が実現したとしても、他人に見えている色を見たことにはならないというわけか。たしかに、そう言われてみると、他人に見えている色を見るってことは神様にさえ不可能なのかもしれないね。ぼくたちのそれぞれに見えている色を神様が見比べようとしても、いったい何をすればよいのか分からない。無理にそれをしようとすれば、それは、神様にとっての色の見え方のもとで何かを見比べることになってしまう」

「〈わたしが赤色を見ているときに見えている色〉を神様が見たときに見えている色と、〈きみが緑色を見ているときに見えている色〉を神様が見たときに見えている色が、神様にとって同じ色に見えている……、みたいな？　でも、それじゃ、その神様と別の神様のあいだで色の見え方が逆転している可能性は、もっと偉い神様が語ることになるのかも。そうだとすると、一番偉い神様が最終的な立場でそうした可能性を語るとき、その神様はいったいどんなふうに色を見ることになるんだろう？　それはもう、わたしが知っている〈色を見ること〉とは、ぜんぜん違ったことなんじゃないかな」

＊ジョン・ロック『人間知性論』の第二巻三二章にて。

ブックガイド
野矢茂樹『哲学の謎』、講談社現代新書。
ジョン・R・サール『MiND　心の哲学』、山本貴光・吉川浩満（訳）、ちくま学芸文庫。

3　自由のために戦わない自由

――一人ひとりの国民の自由は、国家があってこそのものなのか？　だとしたら、国家の存亡がかかっているとき、国外に逃げ出す自由はないのか？

「もしも今、ぼくらの国にほかの国が軍事的に侵攻してきて、ぼくらの生活や生命が脅かされたとしたら、民間人も武器を取って戦わなくちゃいけなくなるかもしれない。このとき自国の政治家は、「自由のために」戦っているんだと、そんなふうに宣言するだろうな」

「ロシアに侵攻されたウクライナの大統領も、世界に向けた演説でそういう表現をしていたね」

「外国から一方的に侵攻されたとき、それに抵抗する戦いを「自由のための戦い」と呼ぶことに、ぼくは反対しない。そこで守られようとしている自由は、「自由」と呼ばれるいろんなもののなかでも、とくに重要なものだから――。ただ、そのうえで聞きたいんだけど、そんなふうに自国が攻め込まれたとき、ぼくに戦わない自由はないのかな？　殺されたくないけれど殺したくもないという理由から国外に逃げようとするのは、自由の行使じゃなくて身勝手なんだろうか」

「わたしの知っている限りでは、ロシアの侵攻中、ウクライナの一八歳から六〇歳までの男性は出国することが禁じられている。家族といっしょに出国しようとした男性が国境で家族と引き離されたとか、そういう記事もたくさん読んだ。もし、わたしたちの国も似たような状況になったら、国外に逃げようとする男性は身勝手だと言われちゃうだろうな」

「みんなが戦っているときに自分だけ逃げるのは卑怯だと言われてしまうのは、たしかに分かるよ。でも、人にはいろいろな事情があるから、卑怯に見える出国者にもやむを得ない理由があるかもしれない。そして、卑怯と言われることや罪悪感に苛まれることを覚悟したうえで、それでも出国したいと考える人には、性別や年齢を問わず、その自由があるんじゃないかな」

「確認するけど、きみは、男性も含めた民間人のすべてが逃げるべきだなんて言っているんじゃないよね」

「もちろん、そんなことは言ってない。戦うことを志願した男性の自由は尊重されるべきだし、その自由は女性にも開かれているべきだと思う。そして、そうやって戦ってくれる人たちのおかげで、自国が守られていることもよく分かる」

「現実的な話としても、すべての民間人が逃げることなんてできないしね。経済的な理由からも、健康面の理由からも、いまの生活を捨てて出国することが難しい人たちが大勢いる」

「すべての人どころか、たった一人に対してさえ、戦わずに逃げるべきだとはぼくには言えない。よほど親しい相手でもなければ、その人の決断に口は出せない。そのうえで、ぼくが聞きたいのは、ほかの人たちがどうすべきかじゃなく、ぼくが逃げてはいけないのかっていうことだ。逃げることに伴うリスクを負ったうえで、それでもぼくが出国を望んだとき、ぼくにはその自由があるんじゃないの？」

†もともとの自由？

「《自由というのは、国家が秩序を保っていて、国民の生活が守られているからこそ可能になる》って考える人たちにとっては、どうだろう？　彼らにとっては、もともと一人ひとりが自由であるような人間が集まって国家ができたわけじゃない。最初は原始的なものであれ、国家やそれに近い集団のなかで警察や司法にあたるものが機能していないと、自由というものが可能になる条件が整わないと考えるだろうから。この理屈に従うと、《他国の侵攻によって国家が脅かされているときには、出国が禁止されることもやむを得ない》と、そんなふうに彼らは言うんじゃないかな」

「もともと自由に生きていた人間たちが集まって、秩序のある集団を作るために、それぞれの自由を制限し合うような約束をしたっていう考え方もあるでしょ？　たとえば、お互いに殺さないようにしようとか、そういった約束をすることで、秩序のある集団が作られるっていう」

「高校の授業にも出てきた「社会契約」というやつだね。でも、さっきのような人たちにとっては、社会契約はフィクションでしかない。神様が原初の人間たちにいきなり権利としての自由を授けたと信じるのでもない限り、〈もともと自由だった〉ってことの意味がじつは与えられないから」

「社会契約をする前は、それぞれの人間が好き勝手なことをしていたんだろうから、〈もともと自由だった〉んじゃないの？」

「いや、それは自由だったんじゃなくて、自由でも不自由でもなかったんだと思うよ。ちょうどいま、あそこにいるカラスがそうであるように。「自由」の代わりに「権利」という言葉を使ってみると、そのことはもっと分かりやすいんじゃないかな。あのカラスは好き勝手にゴミ袋をあさろうとしているけど、そうすることの権利があるわけでも、ないわけでもない。そういう「あり」「なし」の対立の外で、あのカラスは生きている」

「うーん。個人的にはまだ疑問もあるけど、自由や権利は国家があってこそのものだと考える人たちがいることは分かったよ。ところで、そういう人たちにとっては、一人ひとりの自由や権利は戦争中には後回しにされることになるのかな」

「後回しにされるというか、維持できなくなるんだろうね。言い換えると、個人の自由とか権利とかは、国家が安泰であるときにだけ保障されるものだってこと」

「それは危険な考えなんじゃないの？　それが危険だからこそ、民主主義を採る多くの国では、国家によって与えられた権利ではなく一人ひとりの国民が生まれながらにして持っている権利として、基本的人権が説明されているんでしょ？　そういう権利が認められていないと、戦争中に国家権力がひどい命令を国民に下したとき、国民はそれに逆らえなくなる。たとえば、負けることが明らかでも全滅するまで戦えとか、民間人も含めて特定の民族を虐殺しろとかいった命令に」

「そうだね。ただ、さっき述べたような人たちにとっては、生まれながらの権利というのは一種の建て前ということになるんだと思う。それは、理念としては国家によって与えられたものじゃないいけれど、実際にそれが社会のなかで具体化された形をとるには、国家の力が必要だから」

†最小でも最大でも

「あくまで〈理念〉として掲げられたものとしての基本的人権か……。その話は気になるけど、話が逸れてしまいそうだから最初の疑問に戻らせてほしい。外国から一方的に侵攻されたとき、ぼくが戦わずに出国することは自由の行使と言えないのか、という疑問に。さっきまでの話だと、《自由は国家があってこそのものだから、戦争中には保障されなくなる》と主張する人たちがいるだろうってことだった。彼らによれば、戦争中に自国から逃げ出すのは自由の行使ではない、ということだね。でも、もし外国から一方的に侵攻されたんじゃなく、むしろ最初にぼくらの国の政府が一方的な侵攻を開始して、その報復としてぼくらの国が滅ぼされそうになっている場合はどうなんだろう？　その場合でも彼らは「逃げ出す自由はない」って言うのかな」

「さっきの理屈に従うなら、その場合でも彼らは「逃げ出す自由はない」と言うはずだね。

どちらの国が一方的な侵攻を開始したのかは、あの理屈には関係ないはずだから。だけど、実際にはこの場合について意見が変わる人はいると思う。とくに、わたしたちの国の政府が多くの国民の声を聞くことなく、一方的に侵攻を開始して、その結果として報復を受けている場合は」

「すると、さっきの理屈には欠けている部分があることになる。たとえば、《自由は国家があってこそのものだ》という前提が十分には正しくなかったのかもしれない。この前提が言いたいのは、社会の秩序が保たれていないと一人ひとりが自由を行使し合えないってことで、その〈社会〉は大抵の場合、国家というまとまりと重なっている。でも、ある国の政府が独走気味に軍事侵攻を開始して、その結果その国が滅ぼされそうな状況では、〈社会〉として想定されているまとまりがもっと外にまで広がるんじゃないかな。つまり、その国を外から包む国際社会の秩序において、その国から国民が逃げ出すことが自由と見なされる、というように」

「それって、ある国の秩序を支える警察や司法なんかにあたるものが、国際社会にも備わっているっていうことだよね」

「あるいは、《それがある程度備わっていて、さらにしっかりと備えられていくべきだということを、理念としては認め合っている》と言うべきかな。侵攻中のロシアへの各国の対応を見ても分かるけど、国際社会が一枚岩になることは現実的にはものすごく難しい。それでも、こうした理念のもとで国際社会がまとまろうとすることは、どうしても必要になってくると思う」

「ここでも〈理念〉が出てくるとなると、ぼくたち人間は、個人という最小の単位においても、国際社会という最大の単位においても、理念というどこか不安定なものに頼って生きていることになりそうだ――。でも、不安定だからといって理念を捨てていいわけじゃなく、むしろ、不安定だからこそ、理念は理念として掲げられる必要があるんだと思う。不安定なものを身も蓋もなく「不安定だ」と言い回っているだけでは、それはますます不安定になっていってしまうだろうから」

ブックガイド

國分功一郎『近代政治哲学――自然・主権・行政』、ちくま新書。
井上達夫『自由の秩序――リベラリズムの法哲学講義』、岩波現代文庫。

4 科学は〈べき〉を語れるか

──科学的に発見された事実をもとに〈何をすべきか〉を語ろうとする議論に対して、それを一刀両断せずに吟味するにはどうしたらよいか？

「人間は科学を通じてたくさんの事実を発見してきたよね。たとえば〈水はH_2Oである〉とか〈クジラは哺乳類である〉とか。でも、こういう〈○○である〉といった事実から、〈ぼくたちは××すべきである〉といった規範を導くことはできないっていう意見がある。スローガンとして短く言うと、〈である〉から〈べき〉は導けないっていう意見が」

「前に読んだ記事のなかでも、進化の研究をしている科学者がそのことを強く訴えていたな。彼女の研究分野では、生物がどんなふうに進化してきたかについての事実がいろいろと見つけられてきたけど、その事実から規範を導いてはいけないっていうふうに。とくに彼女が訴えていたのは、進化論を根拠にして差別を正当化することの危険性だった。ほら、自然界が弱肉強食で弱い生物が淘汰されていくことになぞらえて、人間の社会でも弱い人間が淘汰されていくべきだっていう考えを主張する人がたまにいるでしょ？　そして、健康で優秀な人間の遺伝子が広まっていくべきだっていう考えを。実際にナチス政権では、こうした考えをもとにして障害者が虐殺されたりした。日本でも九〇年代まで、障害者を不妊にする手術を強制的に行なえる法律があったみたいだし……」

「自然界では「弱い」生物が淘汰されていく、というけれど、何が弱くて何が強いのかは絶対的に定まったことじゃなく、その時々の環境によって偶然的に定まることだよね。ぼくたち人類だって、地球上で今こんなにのさばっているのは、絶対的に強かったからじゃない。恐竜が滅んだのは、たまたま隕石が地球に落ちてきて大量の塵が太陽光を遮り、地球が寒冷化したのが原因らしいけど、もし、この偶然の出来事がなかったら、恐竜の時代がもっと続いて人類の時代はやって来なかったかもしれない」

「ちょっと変な想像だけど、今この瞬間、すべてのメガネやコンタクトレンズが世界から急に消えたとするよね。そうしたら、わたしみたいな近視の人たちは「弱い」生物だということにされてしまうかもしれない。でも、実際にはメガネやコンタクトレンズは容易に手に入るものだから、近視の人たちを「弱い」生物だと考える人はまずいない。自然界にメガネやコンタクトレンズがないからといって、近視の人たちは淘汰されていくべきだ、なんて主張は聞いたことがない。だったら、現在のテクノロジーがたまたまどのくらいのレベルであるかによって今は「弱い」と見なされがちな人の特性も、今後のテクノロジーの発展によってそうは見なされなくなるかもしれない」

「生物が進化するということを、絶対的に優れた「強い」生物を目指して遺伝子が変化していくことだって考えるのは、進化論の初歩的な誤解だからね。偶然的な遺伝子の変化と、偶然的な環境の変化を通して、そのつどたまたま子孫を残しやすかった生物の遺伝子が受け継がれていくだけであって、そこでは何も「目指されて」なんかいない」

「進化は進歩と違うってことだね。生物は、より優れたものへと進歩するために、進化をするわけじゃない」

†進化と正当化

「人類が持っている何らかの傾向性について、《その傾向性が得られた理由を進化論的に説明できるなら、今でもその傾向性に従うことを容認すべきだ》って主張するのも、よくある誤りだな。たとえば、男性のほうが女性に比べて浮気をする傾向性が高いというデータがあったときに、その理由を進化論的に説明できたとして——、つまり、男性が浮気をしがちであることが遺伝子の拡散に有利であったという事実がもしあったとして、そのことによって現在の男性が浮気をすることが正当化されるわけじゃない」

「そうだね。ただ、人類が持っている何らかの傾向性について進化論的な説明が得られたとき、それを現状の正当化に使うんじゃなく、現状を改善するための知識として活用することは、うまくいくことがあるかもしれない。つまり、その傾向性を、個々人の努力や心構えだけでどうこうできるものと見なすんじゃなく、社会のデザインとか医学的なアプローチとかを通して、現代の生活に調和させていくべきものだって見なすことが」

「具体的には、どんな感じだろう?」

「そうだなあ。たとえば、わたしのお兄ちゃんには朝から晩までひっきりなしに仕事の電子メールが届いていて、かなりのストレスになっているみたいだけど、目の前にいない人からのメッセージが朝から晩まで届くというのは、人類の進化の歴史から見て異常な状況だと思う。過去の人類が、どのくらいの規模の集団のなかで、どのくらいの量のメッセージを一日にやり取りしてきたかということや、それに伴ってどのような傾向性を得てきたかということがもし明確化されたなら、その知識をもとに、電子メールを使った仕事のやり方を社会全体で見直せるかもしれない」

「なるほど。たしかにそういう仕方で知識が活かせることもあるかもね。ただ、その場合に引っかかるのは、〈である〉から〈べき〉は導けないっていう、あのスローガンはどうなっちゃうのか、だ。これは、進化の研究だけじゃなく科学全般に言えることだけど、科学的な事実としての〈である〉を何らかの仕方で生活に活かそうとすると、やっぱり、〈である〉から〈べき〉を導いてしまうことになるんじゃない？　導かれた結論としての〈べき〉が、社会の役に立つものであろうとそうでなかろうと、あるいは、倫理的なものであろうとそうでなかろうと、〈である〉から〈べき〉が導けないってことは変わらないんだから」

†省略された前提

「うーん。ちょっと例を挙げてみると、徹夜をすることは健康に悪いというのは、科学的な事実だと言えるよね。それで、この事実から、徹夜をせずに眠るべきだという規範を導いたとして、これが誤った推論だと言われることはないと思うんだけど……」

「その推論が誤っていると言われないのは、語られていない常識が前提とされているからじゃないかな。つまり、《私たちは自分の健康の維持を心がけるべきである》といった前提が省略されているってこと。もし、こうした前提があるのなら、〈である〉のみから〈べき〉を導いてはいなくて、前提のなかにも〈べき〉が含まれていることになる」

「でも、それを言うんだったら、非倫理的で受けいれがたいような〈べき〉を導く推論であっても、〈である〉のみから〈べき〉を導いていると一刀両断するんじゃなく、〈べき〉についての前提が省略されているのかもしれないと考えてみるのがフェアだよね。たとえば、男性が浮気をしがちであることは遺伝子の拡散に有利であるという事実がもしあったとして、そこから、男性は浮気をすべきであるという結論が導かれたとき、そこでは、《生物は自分の遺伝子の拡散に有利な行動をとるべきである》っていう前提が省略されているのかもしれない。だとしたら、〈である〉から〈べき〉は導けないっていうスローガンを唱えるだけじゃ嚙み合った議論にはならなくて、もっと違う仕方で相手の主張を批判しなくちゃいけなくなる」

「その例の場合は、《生物は自分の遺伝子の拡散に有利な行動をとるべきである》っていう前提がおそらく間違っているんだろうね。生物は、そうすべきだから遺伝子を拡散しているんじゃなくて、たまたま、ある環境で遺伝子を拡散しやすい特性を持っていた生物が、その特性を伝える遺伝子を拡散してきたということだから」

「ただ、そういうふうにちゃんと考えていくと、《私たちは自分の健康の維持を心がけるべきである》という前提だって、どうしてそれが正しいと言えるのか、よく分からなくなってくるなあ。* 健康じゃないと快適に暮らしづらいとか、健康じゃないと子孫を残しづらいとか、そういう事実をいくら列挙しても、この前提の正しさを証明することはできないわけで……。だとすると、推論の前提として認めてもらえるような〈べき〉とは、結局のところ、多くの人が同意してくれるような、そういう〈べき〉だということになるのかな？」

「そうかもしれない。どんな〈べき〉を前提として使えるのかは、多数決的に決まっているのかもしれない――。でも、本当にそうだとすると、何だか不思議なことになりそうだ。たとえば、《私たちは自分の健康の維持を心がけるべきである》という〈べき〉が、とても多くの人たちに同意してもらえる〈べき〉であるとして、このこと自体は事実としての〈である〉だよね？ それじゃあ、じつは、規範としての〈べき〉は、多数決に関する事実としての〈である〉から導かれているんじゃない？ もし、そうじゃないんだとすると、〈べき〉がどこからやって来たのか、ぼくにはさっぱり分からないな」

＊この点をさらに掘り下げた私見については、次の論稿を見て頂きたい。「それをすべきであること

を人類はいかに知ったのか？——自然主義的誤謬という「聖剣」を振り回さない」、『現代思想』二〇二四年一月号所収。

ブックガイド

スコット・ジェイムズ『進化倫理学入門』、児玉聡（訳）、名古屋大学出版会。
長谷川寿一・長谷川眞理子・大槻久『進化と人間行動 第2版』、東京大学出版会。

5 犯罪者をどう取り扱うべきか

──犯罪者は治療や隔離をすべき対象であって、責めるべき対象ではないという提言を、私たちはどう受け止めたらよいのか？


「何だか表情が険しいね」

「ついさっき、テレビで嫌なニュースを観たの。街なかで急に男性が、子供たちやその保護者たちを無差別に刃物で切りつけて、そのすぐ後、自分自身を刺して死んだというニュース」

「そのニュースなら、ぼくもネットで知ったよ。亡くなってしまったり重傷を負ったりした人もいるみたい。SNSでは大勢の人がそのニュースにコメントを書いていたけど、「死ぬなら一人で死ね」というコメントがとてもたくさん並んでいたな」

「死ぬなら一人で死ね、か。そういうコメントには賛否両論があるんだろうけど、正直に言うと、わたしも共感してしまうところがある。自分が死ぬつもりだからといって、他人を巻き添えにするのは身勝手すぎる」

「そうだね。もし、ぼくが事件の現場にいて自殺する犯人を見ていたら、他人を巻き添えにしたことを強く罵（ののし）ったかもしれない」

「わたしの表情が険しかったとしたら、もう一つ理由があるな。いま読んでいる本の内容を思い出して、頭がごちゃごちゃしてきたんだよ。デイヴィッド・イーグルマンという脳神経科学者が書いた本」

「どんな内容？」

「犯罪者は治療や隔離をすべき対象であって、非難すべき対象ではないってことが、その本の終わりのほうに書かれてた。どんな犯罪者も脳のある状態によって犯罪をおかすけど、脳のその状態の成立には、遺伝や養育環境のような犯罪者自身にコントロールできない事柄と自然法則が大きく関わっているから、というのがその理由。イーグルマンは、脳内のさまざまな化学的変化が行動をどんなふうに変化させるかの具体例をたくさん挙げて、この主張に説得力を与えている。でも、さっきのような事件を見て、この主張をそのまま受け入れるのはわたしには難しい」

「いま言った「治療や隔離をすべき対象」っていうのはどういうこと？」

「カバンに本が入ってるから、ちょっと待って……。ええと、これだ。『あなたの知らない脳──意識は傍観者である』って本。* まずはこのあたりを読んでみて」

「どれどれ。「『非難に値する』の代わりに用いるべきなのが『修正可能である』という概念である。この前向きな言葉は問いかける。私たちはこれから何ができるのか？ 更生プログラムを利用できるのか？ できるならそれは素晴らしい。できない場合、懲役刑は将来の行動を修正するだろうか？ するなら刑務所に送ろう。刑罰が役に立たない場合、報復のためではなく行為能力を制限するために、国の監督下に置こう」（ハヤカワ・ノンフィクション文庫、二八三頁）」

「わたしはさっき「治療と隔離」と言ったけど、いま読んだところに出てきた「修正」は治療と重なっている。イーグルマンの言う「修正」には、科学的な知識に基づいて脳に働きかけることも含まれているから」

「犯罪をおかしてしまいがちな脳を別の状態へと変化させるか、それが無理なら、犯罪者を制度的に社会から遠ざけておくってことだね。どちらにしても、その犯罪者が未来に犯罪をおかさなくなることに的を絞っていて、過去におかした犯罪の責任はどうでもよいみたいだ」

†どの人間にも当てはまる

「そのことに関してわたしがびっくりしたのは、イーグルマンがこんなふうに書いていたことだよ。ええと、本のこの部分。「私が言いたいのは、どんな場合も犯罪者は、ほかの行動をとることができなかったものとして扱われるべきである、ということだ。現在測定可能な問題を指摘できるかどうかに関係なく、犯罪行為そのものが脳の異常性の証拠と見なされるべきだ」（二六三頁）」

「これは過激な意見だな。だって、実際に脳の異常が発見されたかどうかと関係なく、すべての犯罪者は脳に異常があるはずであり、だから、その犯罪をおかさないことはあり得なかったと考えるべきだ、と言ってるんでしょ？」

「そう。ただ、イーグルマンの肩をすこし持つと、イーグルマンのこの意見は、日々変化し続けるあいまいな基準によって犯罪者を裁くべきじゃないっていう考えに拠っている。というのも、脳の異常が発見されるかどうかはその時点での科学技術に依存していて、そして科学技術は日々進歩していくから、今日は発見されなかった脳の異常が明日には発見されるかもしれない」

「だから、いまの技術で脳の異常が発見されるかどうかにかかわらず、どの犯罪者も「ほかの行動をとることができなかったものとして扱われるべきである」ってことか。でも、これを受け入れるのはとても難しいな。さっきの事件の犯人も「死ぬなら一人で死ね」ってたくさんの人に言われてたけど、イーグルマンが正しいなら、あの犯人が一人で死ぬことはあり得なかった。たしかに科学的に考えればそれは本当にあり得なかったのかもしれないけど……、それでも、ぼくたちは犯人に対して、《しないこともできたのに、なぜあんなことをしたのか》と腹を立てるでしょ？　イーグルマンだって自分が犯罪に巻き込まれたら、そういうふうに感じるんじゃないかな」

「そういうふうに感じるかもしれないけど、その感情に流されるべきじゃないとイーグルマンは言うだろうね。それに近いことを実際に書いてもいる。ただ、何だろう……、わたしはたんに感情的にイーグルマンの話を受け入れられないんじゃなくて、あの話には何かが欠けている気がする。イーグルマンがどんな視点からあの話をしているのかが分からない、というか」

「どういう意味？」

「まず分からないのは、科学的に考えて「ほかの行動をとることができなかったものとして扱われるべき」なのは、犯罪者だけなのかってこと。「犯罪行為そのものが脳の異常性の証拠と見なされるべきだ」と書いてあったけど、脳に異常があるかどうかって話と、人間が実際にやったこと以外のことをできたかどうかって話は、じつは関係ない。《人間の行動は、過去の出来事と自然法則によってもたらされた脳の状態に依存する》という指摘は、犯罪者だけじゃなくすべての人間に当てはまるわけで」

「そうだね。だから、イーグルマンの議論の道筋に従うなら、犯罪者だけじゃなくすべての人間は「ほかの行動をとることができなかったものとして扱われるべき」ってことになりそうだ。すると、人間が仕事をしたり約束事をしたりするときの責任についても、その在り方を根本から見直すことになるだろうね。犯罪だけじゃなく、それ以外のどんな行動に関しても、「それしかできなかった」って言えるんだから」

「憤(いきどお)ったり許したり、褒めたり感謝したりといった人間社会のさまざまなやり取りも、ものすごい影響を受けると思う。たとえば自分を犠牲にして他人の命を助けた人も、「それしかできなかった」と見なされるわけで――。イーグルマンの書き方だと、まるで犯罪という領域だけに彼の提言を向けられるかのようだけど、論理的に言ってそんなことはできない。だから、人間社会のさまざまなやり取りを重要なものだと見なす限り、犯罪者についてのイーグルマンの話をそのまま受け入れることはできない」

†未来への提言？

「さっききみが言った「視点」というのは何のこと？」

「イーグルマンは明らかに社会的な提言をしているわけで、非難から修正へと犯罪者への対応を変えるべきだって訴えている。そして、変えられない過去ではなく未来に目を向けようと。でも、その提言の根拠を見ると、「それしかできない」のは犯罪者だけじゃなくその他の人間も同じだし、「それしかできない」のは過去だけじゃなく未来も同じのはず。だって、それまでの出来事と自然法則によってもたらされた脳の状態に依存しているのは、未来の行動だって同じだから。でも、そうだとしたら、イーグルマンはどんな視点から未来をより良いものに変えていこうって提言しているんだろう？　学者であれ、医者であれ、政治家であれ、自然現象として起こるがままに起こることを「変えていく」視点になんて立てないってことこそ、科学的に分かってきたことなんじゃないの？」

「そう言われてみれば、たしかにそうだな。イーグルマン自身の理屈に基づくと、これから犯罪者を〈非難する〉にせよ、これから犯罪者を〈修正する〉にせよ、ぼくたちはいつでもそのつど「それしかできない」ことをやり続けていくだけであり、〈非難する〉未来と〈修正する〉未来のどちらか一方の可能性を自分で選び取って現実にすることなんてできない。となると、未来への提言をすることは、常識的に理解されているのとは違う何かをしていることになるけど——だって未来は変えられないわけだから——だとしたら、いったい何をしていることになるんだろう?」

＊デイヴィッド・イーグルマン『あなたの知らない脳——意識は傍観者である』、大田直子（訳）、ハヤカワ・ノンフィクション文庫。

ブックガイド

山口尚『人間の自由と物語の哲学——私たちは何者か』、トランスビュー。
高崎将平『そうしないことはありえたか?——自由論入門』、青土社。

6　情報のない会話？

——何の情報も含まれていないようなのに思わず共感してしまうセリフは、いったい何を伝えているのだろう？

「『たのしい人生』という短編マンガ集を読んでたら、気になるセリフがあってね。*ピクニックでカレーを食べているウサギが、「うまいカレーってうまいね」って言うんだ」

「カレーを食べているウサギというのが、すでに気になるけど」

「ウサギじゃなくて、顔がウサギの人間だったかな」

「それは、もっと気になる……。で、そのセリフのどこが問題なの？」

「うまいカレーがうまいっていうのは、何も言ったことにならないでしょ？　でも、ぼくはこのセリフにどういうわけか共感した。この共感はいったい何なんだろう？」

「わたしはそのマンガを読んだことがないけど、そのウサギ人間は、いっしょにカレーを食べている人に向かって話しかけているんでしょ？　だから、《地球は丸い》という事実ているそのカレーがすごく美味しいということに同意を求めているんだと思う」

「でも、それだったら単純に「このカレーはうまいね」って話しかければいい。「うまいカレーってうまいね」というセリフには、もっと違う意味があるんじゃない？　たとえ、その意味というのが、普通の意味での意味ではないとしても」

「普通の意味での意味っていうのは、どんな事実が成り立っているのかについての「情報」と言い換えてもいいのかな？　《うまいカレーがうまい》のはたしかに真実だと言えるけど、それって、《宇宙人のいる星には宇宙人がいる》とか、《わたしは日本人であるか、そうでないかのどちらかだ》とか、そういった真実と同じように、何の情報ももたらしてくれない。《宇宙人のいる星には宇宙人がいる》のが真実だからといって、実際にどこかに宇宙人がいるのかどうかは全然分からない」

「そうだね。「うまいカレーってうまいね」と言われても、どのカレーがうまいのかは分からないし、いまみんなで食べているカレーについても何の情報も得られない。でも、それはいわば文字面のことで、このセリフは明らかに何かを言っていると思うけど……」

「そういえば、昨日こんな会話をしたよ。わたしが友達に「夏休みにどこかに行くの？」

って訊いたら、「北海道に旅行に行くかも。行かないかもしれないけど」って言われたの。これって、情報がないと言えばないけど、それでも何かを伝えている。《夏休みに北海道旅行をする可能性がそれなりにある》ということにピントが当てられているというか——。ほかの例を挙げてみると、「人間は二つに分けられる。○○である人間とそうでない人間だ」なんていう、よくあるセリフもそうかもね。「○○である」かそうでないかのどちらかだっていうのは当たり前で、何の情報もないけれど、それでも、○○という観点から人間を捉えてみることにピントが当てられている」

「つまり、情報のなさそうなセリフでも特定のことについて話していること自体が、何かを伝えているってことだね。きみの友達の例でいえば、ただ黙っているんじゃなくて、わざわざ北海道旅行について話していることが、それを聞いている相手の注意を北海道旅行に向けさせている。《北海道に旅行に行くか、行かないかのどちらかだ》というのが当たり前だったとしても、それをわざわざ口にすることは当たり前じゃないから」

「ただ黙っている場合は、どうなるのかな？　黙っている場合にはもちろん文字面の情報はないわけだけど、それでも何かが伝わってくることはある。たとえば、「夏休みにどこかに行くの？」と訊かれて急に黙ってしまった人がいたら、この話題について話したくない理由があるのかなとわたしは思う」

「普段の会話を思い出してみると、現在の話題からわざとズレたことを言って話題を変えることならたまにやるな。たとえば、誰かがぼくの友達についての悪口を言い始めたときに、それとなく、テレビで観たサッカーの試合のほうに話題をもっていったりする」

「それとなく話題を変えなくちゃいけないわけね。たんに話題を変えるだけなら、「宇宙人のいる星には宇宙人がいる」とか、そんなことを言ってもよいはずだけど、急にそんなことを言ったら変な人になる」

「変な人になるか、あるいは嫌な人になるか。現在の話題と無関係なことをわざと言っていることが伝わると、嫌味とか皮肉とか、別のメッセージになることがあるから。たとえば、誰かが自慢話を続けているときに、わざと天気の話をすると、自慢ばっかりするなというメッセージになったりする」

†一般的なものの比較

「暗黙のルールとして、会話をしているときには急に話題を変えてはならないというルールが存在しているということかな。だから、急に話題を変えること自体が、喋った言葉には含まれない内容を相手に伝えてしまうことがあるし、このことを意識的に利用して、言葉に含まれない内容を相手に伝えることもできる」

「そうだね。ところで、ここまでの話を踏まえても、「うまいカレーってうまいね」というセリフには、まだよく分からないところがある。的確に言える自信がないけど、このセリフは、いまみんなで食べているカレーの美味しさに注意を向けさせるだけじゃなく、カレーというもの一般についても何かを伝えているんじゃないかな」

「どういう意味？」

「どんな食事のメニューに関しても、うまいものはうまいでしょ？　カレーじゃなくてラーメンでもステーキでも、それは当たり前のことだ。でも、あえて「うまいカレーってうまいね」と言うときには、カレーというもの一般について、ほかのメニューには当てはまらないくらい、うまいものがうまいということに同意を求めているんだと思う。少なくとも、このセリフに共感したときにぼくが何となく思っていたことはそれだ」

「えーと、つまり、《うまいラーメンでも、うまいステーキでも、うまいカレーがうまいほどにうまいことはない》ってことかな」

「そう。ただ、だからといって、うまいカレーがうまいステーキよりもうまいとは、ぼくは思わないんだけど」

「え？」

「一回だけ、すごく値段の高いステーキを食べさせてもらったことがあって、あれはたぶん、ぼくの食べてきたどのカレーよりも美味しかった。でもね、「うまいカレーってうまいね」というセリフとこの経験は関係がないんだよ。そして、そのステーキがとても美味しかったからといって、「うまいステーキってうまいね」とは、ぼくは言わない。そのセリフは、「うまいカレーってうまいね」に込められていた気持ちがぜんぜん込められていないセリフになっちゃうから」

「これはまた、ごちゃごちゃした話になってきた。ぱっと聞いた感じだと、カレーというもの一般について何かを言いたいだけじゃなく、美味しいカレー一般と、とくにそうでもない普通のカレー一般との比較について何かを言いたいのかなと思うけど」

「ああ、なるほど、そうかもしれない。少なくともぼくの庶民的な食生活の経験からでは、うまいカレー一般と普通のカレー一般とを比較するようには、うまいステーキ一般と普通のステーキ一般とを比較することはできないわけで……」

「すごく回りくどい言い方になるけど、《うまいカレーはうまい》ということを、きみはこんなふうに捉えてるんじゃないの？　《うまいカレー一般の普通のカレー一般に対するうまさの比は、他の料理のメニューにおける、うまいものの一般の普通のものの一般に対するうまさの比よりも顕著に大きい》と」

「すごく回りくどい！　でも、言っていることの意味は分かるし、それはぼくが言いたかったことに近いと思う。それでね、ぜひとも付け加えたいのは、カレーというのはそのことについてまさに同意を求めたくなるような絶妙なメニューだってことだ。うまいカレーと普通のカレーの違いは多くの人が知っているし、うまいカレーと普通のカレーのどちらも、お店だけじゃなく家庭でも作って食べられるからね」

「なんだか変な会話だったけど……、とりあえず、わたしが今晩、何を食べるかは決まったよ」

＊本秀康（もと）『たのしい人生』、青林工藝舎。同書所収の短編「かわいい仲間」にそのセリフが出てくる。

ブックガイド

柏端達也『コミュニケーションの哲学入門』、慶應義塾大学三田哲学会叢書。
三木那由他『会話を哲学する——コミュニケーションとマニピュレーション』、光文社新書。

コラム1　哲学をする、問いを育てる

哲学をすることの中心には、問いを育てるということがあります。だからこそ本書では、著者が問いを育てる様子を不格好であれ読者に見せることで、〈哲学をするとはどのようなことか〉をつかんでもらうことを目指しています。

ですが、哲学をすることの中心に問いを育てることがある、とはどんな意味なのか、いま一つ分からない方もいるでしょう。「問いを育てることはたしかに重要だろうが、なぜそれが、哲学をすることの中心にあると言えるのか。問いを育てることだけでなく、問いに答えることだって哲学にとって重要なはずだし、むしろ、学問というもの一般にとっては、問いに答えることこそがその中心にあるのではないか」。こんな疑問を持つ方もいるかもしれません。

私だったら、この疑問にこんなふうに答えます。哲学をすることにおいてはしばしば、問いに答えることと問いを育てることを明確に切り離すことができません。ある哲学の問いについて、《ここまでは何とか答えることができたが、ここからはうまく答えられない》という壁にぶつかるとき、その一番の理由は大抵、その問いがまだ十分に明晰な言葉で捉えられていないことにあります。そのため、自分の内発的な問いに答えようと

する哲学者は、その問いを何度も違った表現で語り直していくことになりますが、この過程においてその問いは、同じ問いでありながら微妙に変化していきます。つまり、哲学の問いは生きもののように、時間をかけて育てられていくのです。

壁にぶつかっては問いを語り直す作業は、ある一つの問いに対して何度も何度も繰り返されます。有名な哲学者たちの試行錯誤を見ると、この繰り返しに数十年の時間が費やされることも珍しくありません。だからこそ、哲学の問いに答えようとすることは、その問いをさらに育てていくことと、しばしば不可分一体となっています。ただし、ここで付け加えておくと、いま述べたような仕方で哲学をすることは、いつまで経っても何の答えも出さずに堂々巡りをすることとはまるで違います。暫定的な問いに対して《ここまでは何とか答えることができた》という達成があるからこそ、どこからうまく答えられなくなるのかを見定めることができるのであり、そして、さらに進んでいくためには問いをどのように問い直せばよいのかを思案することができるのです。

私がいま記したことは、おそらく、哲学以外の学問についてもある程度当てはまることでしょう。ですが、哲学において特徴的だと思うのは、その探究においてどの範囲の概念を使うかの線引きが重要な意味であいまいであることです。問いを明晰に語るのにどの概念を使うかについて、多くの学問分野ではそのための標準的なリストを教科書が提供してくれるのに対し、哲学ではそうでないことがよくあります。なぜなら、心と物、事実と価値、原因と結果……といった重要な哲学的トピックは、ある特定の学問によって囲われた世界の一領域にのみ関わるものではなく、私たちの普段の生活とも密接に関わっているからです。こうして、哲学において問いを語り直す作業は、人生の全体を巻き込むものとなり得ます。問いを明晰に語るための概念を、人生のあらゆる場面のなかに探し求めることになるのです。

私は以前このことを、次の引用文のように記したことがあります。この引用文は、「今」という時点はじつは存在しないという哲学的／科学的主張を検討した後に置かれていた一節です。私はこの一節で「今はある」と反論しているのではなく、「今はない」と主張するからにはその主張が日常的な信念にどれだけの影響を与えるのかを本気で精査すべきだと述べています。

講義室でのみ「今はない」と言うことは、ある意味、簡単なことでしょう。さきほど述べたような、今という概念の欠陥を指摘すれば十分です。しかし、今がないことを心から信じ、生活のどの場面においても、それと整合的な信念をもつことは容易ではありません。そして、ここから先は哲学観の問題ですが、講義室でも商店街でも病院のベッドでも、世界を一つのものとして整合的に捉えたいなら、哲学と日常での二枚舌を使わずに、自由、責任、生死などについての自分の考えを点検し続けなければなりません。哲学用の信念と別に、日常用の信念を保持すれば済む、といった話ではないのです。(『分析哲学講義』、ちくま新書、二三八頁)

このコラムを読んで、〈哲学をするとはどのようなことか〉は何となく分かったが、そもそもどうして哲学をしなければならないのか、と思った方もいるでしょう。私の意見を率直に述べるなら、すべての人が哲学をしなければならない理由なんてものはありません。ですが、哲学をすることは少なからぬ人たちにとってひじょうに面白いことであり、ふだん暮らしている世界を違う角度から見ることであり、当たり前だと思われていることがなぜそう思われているのかを解き明かすことです。そして、一部の人たちにとっての哲学とは、趣味や習い事のように、しようと思ってするものではありません。小さなころから彼らにはこの世界が「隙間だらけ」に見えており、その隙間を自分なりの言葉で埋めることなしには普通に生きていくことが難しい……。だから、彼らにとっての哲学入門書とは、哲学を始めるためのものではなく、自分がこれまでやって来たことに——世界の隙間に問いかけることに——「哲学」という呼び名を与えてくれるもののです。「呼び名を与えられて何になるのか」と思われた方は、それが何なのか分からないままま、たった一人でそれを続けることなしにはうまく生きて来られなかった人の孤独をちょっと想像してみてください。

7　経験機械とマルチプレイ

――もっと楽しい造りものの世界より、現実の世界に生きることをあなたが選ぶとしたら、それは、その世界が現実だからなのか？

「ぼくのいとこは大学生なんだけど、コンピュータのゲームにハマりすぎて困ったことになっているみたい。そのいとこのお母さんが言うには、一日中ずっとゲームをやっていて大学に行かなくなっちゃったらしい」

「ゲームって、どんなやつ？」

「インターネットでたくさんの人たちと交流しながら、ファンタジーの世界を冒険するやつ。剣や魔法でモンスターと戦いながら、いろいろなアイテムを集めていったり、いろいろな謎を解いていったりする」

「ああ、マルチプレイのオンラインゲームだね。わたしも昔やったことがあるけど、たしかにあれは夢中になる。アメリカに住んでいるプレイヤーたちと仲良くなっていっしょに冒険してたんだけど、わたしは日本でプレイしてたから時差があって大変だった」

「そのアメリカの人たちとは、ゲームのなかで知り合ったわけ？」

「うん。ゲームのなかのアバター（プレイヤーの分身であるキャラクター）として知り合ったから、お互いに本名を知らないし、実際の性別も知らないし、学生なのか社会人なのかも知らない。アバターの属性は、自分の好きなように設定できるから」

「ああいうゲームにハマっちゃうと、ゲームのなかの生活のほうがだんだん中心になっていって、実生活のほうがおろそかになるみたいだね。実生活ではドラゴンを倒したり宝箱を見つけたりできないから、ゲームのなかの生活のほうが楽しいという人もいっぱいいるだろうし」

「ゲームのなかは実生活よりも「レベル」が上がりやすいしね。実生活では、努力をしてもちゃんとレベルアップしない能力は多い。それに、家庭環境とか才能とか、生まれながらに与えられたものが人によって違いすぎるから、実生活というのはゲームとして見るとかなり出来が悪いと思う。ゲームとしてのバランスがちゃんと調整されていなくて、運任せの要素が多すぎる」

「それでも、ぼくたちが実生活から逃れることができないのは、結局のところ、そっちのほうに自分の肉体があるからだよね。肉体を健康に保つためには、ご飯を食べたり運動をしたり安全な住居で眠ったりしなきゃならないけど、そうしたことはゲームのなかではやれない。そうしたことをするためのお金も、実生活のほうで稼がなきゃならない」

「お金を稼ぐことに関しては、ゲームのなかで稼ぐという可能性もあるけどね。たとえば、ゲームの珍しいアイテムを本当のお金で売ったりして。多くのゲームでこういう商売が禁止されているのは規約の問題にすぎないから、技術的には何の困難もない。でも、実際の肉体を健康に保つことに関しては、同じことはとてもできないな。栄養を取ったり筋肉を動かしたりすることは、ゲームのそとで自分でやらなくちゃいけない」

「映画の『マトリックス』や小説の『ソードアート・オンライン』みたいに、肉体についての問題が克服されるのは何百年も後だろうね。ああいうフィクションの世界では、多くの人がコンピュータ制御の装置に入って、肉体が健康な状態に保たれたまま夢を見ているような状態で過ごしている。「夢」と言っても、その体験は脳への電気的な刺激によって生じたとても生々しい体験だし、装置に入った人たちのあいだでコミュニケーションも取れたりするから、普通に見る夢とはぜんぜん違うけど」

「わたしたちの実生活での体験も脳の状態に依存しているんだろうから、その「夢」を見ている人とわたしたちとのあいだでは、体験の質そのものに違いはないと考えてよさそうだね。たとえば、ゲームのなかで美味しい料理を食べると実際にその味をありありと感じる、といったように。「それでも、それは造りものだって知っているじゃないか」と文句を言う人に対しては、自分がゲームをしていることをゲーム中には忘れていられるように脳への刺激を調整すればいい。そうしちゃっても、たとえば一カ月間ゲームをプレイし続けたら自動的に実生活に戻って来るように設定しておけば、戻って来られなくなることはないから大丈夫」

「そこまでくると、ずっとゲームのなかで暮らしてそのまま人生を終えることには、どんな問題があるんだろう……。この話って、以前きみが教えてくれた「経験機械」の話とよく似てるよね？　脳を刺激することで望みのままの経験をさせてくれる機械があったとして、ずっとそれに繋がっていることをぼくが選ばないとしたら、その理由は、現実に触れて生きていくことをぼくが重要だと思っているからだろうって、そんな話だった」

「よく似た話だと思うけど、違いがあるといえばある。ノージックという哲学者が書いた「経験機械」の話では、機械に繋がるのは自分一人だから、わたしは造りものの世界のなかに一人で居続けなくちゃならない。* 「経験機械」の話を読んでわたしが一番嫌だと感じたのは、現実の家族や友達から切り離されてしまうことだったな」

「経験機械に繋がると家族や友達に会えなくなっちゃうから、繋がったままでいるのは嫌だということ？　でも、機械は現実と見分けのつかないリアルな経験をさせてくれるんだから、機械が造り出した世界のなかでも家族や友達に会えるんじゃないの？」

「家族や友達にそっくりな人たちにはね。でも、その人たちは機械が造り出した幻影であって、わたしと本当に交流のあった現実のあの人たちじゃない。機械に繋がったまま一生を終えることは、あの人たちと永久にお別れすることを意味している」

「言い換えると、そういうお別れをしないで済むなら、機械に繋がったままでいることを選ぶかもしれないってこと？」

「その場合、直ちにイエスとは言えないけど、わたしはかなり迷うと思うよ。さっきまでのわたしたちの話がノージックの話と違うのは、わたしたちの話がマルチプレイのゲームを念頭に置いていたっていうところ。ゲームのなかに、ゲームのそとに居る現実の他人が参加しているってことがマルチプレイの面白さの核心で、しかも、実生活で親しい人とも同じゲームのなかで過ごすことができる。経験機械に関しても、みんながマルチプレイで繋がって同じ世界のなかで暮らせるんだったら、それを拒否したほうがよい理由をわたしはすぐには思いつかないな」

†親しみの対象

「造りものの世界のなかで何をしたって空しい、という意見は？」

「それは、その世界の出来次第でしょ？　ノージックは現実には造りもの以上の深さがあると書いてたけど、造りもののなかにも素晴らしい芸術作品なんかがあるわけで、つねに現実のほうが深いとは限らない。それに、たとえそうだったとしても、造りもの以上の深さがあることがつねによいとも限らない。たとえば出産の経験をするときに、現実の痛みには造りものの痛み以上の深さがあるなんて言われても、そんなものは別に欲しくない」

「それでも他人に関しては現実の他人であってほしいわけで、経験機械に繋がる場合も現実に居るみんなと繋がりたいと思うんだね。なんで他人に関しては、現実の世界に居ることが重要なんだろう？」

「そう改めて聞かれると……、まだ考えがまとまっていないけど、わたしはちょっと勘違いしてたのかもしれないな。わたしにとって重要なのは、これまで親しくしてきた人たちとお別れせずに済むことであって、その人たちが現実の世界に居ることじゃないのかも。もし、わたしがずっと現実だと思ってきたこの世界が経験機械による造りものだったとして、この世界のそとにある現実世界のほうに移りたいかと訊かれたら、わたしはたぶん断ると思う。だって、そっちに移ったら、これまで本当に交流のあった人たちと——つまり経験機械が造り出してきた人たちと——お別れしなくちゃならないから」

「人間以外の事物についても似たことを言う人はいそうだね。現実から離れることじゃなく、自分がこれまで親しんできた事物から離れることが嫌なんだって言う人が……。だとすると、経験機械の話には、ぼくたちの判断をあいまいにさせる余計な要素が含まれているみたいだな。あの話では、これまで自分が居た世界のほうが現実の世界だということが素朴に前提されてしまっている。そのせいで、経験機械を拒否するかどうかを選べと言われても、現実であることが重要なのか、これまで親しんできたことが重要なのかが、区別しづらくなっている。このへんをちゃんと区別できるようにしたら、あの話はもっと良くなると思うよ」

＊ロバート・ノージック『アナーキー・国家・ユートピア』の第三章にこの話が出てくる。ちなみに、ノージックの経験機械では「望みのまま」の経験をすることができるが、マルチプレイの場合ではそれが不可能な事例がある。たとえば、二人の男性プレイヤーの両方が、ある一人の女性プレイヤーと一夫一婦制のもとで結婚することはできない。

ブックガイド

デイヴィッド・J・チャーマーズ『リアリティ＋（プラス）――バーチャル世界をめぐる哲学の挑戦』上下巻、高橋則明（訳）、NHK出版。

マーク・ローランズ『哲学の冒険――「マトリックス」でデカルトが解る』、筒井康隆（監修）、石塚あおい（訳）。

8 実在するってどういうこと？

——何かが本当に存在するとは、いったいどういうことだろう？　そこで言う〈本当に〉の意味は、〈客観的に〉の意味と同じなのだろうか？

「いま読んでいる本のなかに「実在」って言葉が何度も出てくるんだけど、意味が分かるようで分からないいんだよね。日常ではあまり使わない言葉でしょ？」

「たまに使うことはあっても、そんなには使わない。たとえば、歴史もののドラマを観ていて「弁慶（べんけい）って実在したの？」とか、そんなふうに訊くことはあるね。この場合は、フィクションじゃないことを表す意味で「実在」と言っていることになる」

「実在するって要するに、本当に存在するってことだよね。ただ、その〈本当に〉の意味が何なのかよく分からなくなることがある。何が〈本当〉で何が〈本当じゃない〉とされているのかの基準が分からなくなる、というか。もちろん、それはいつもじゃなくて、「弁慶って実在したの？」と訊かれたときには、分からなくなったりしないけれど」

「そのときには、弁慶が生身の人間として生きていたなら〈本当にいた〉わけで、物語のなかにしか出てこないキャラクターだったなら〈本当はいなかった〉ことになる」

「それに比べて、「時間は実在するか？」とか「自由は実在するか？」とか訊かれたときには、何が〈本当〉で何が〈本当じゃない〉のかをちゃんと考えてみる必要がありそうだ。そして、こういう質問で「実在」という言葉が使われるときには、それぞれの人が何を信じているかだけじゃなく、世界そのものがどうなっているかが問題にされている」

「つまり、客観的なものが〈本当〉の側にあって、たんに主観的なだけのものが〈本当じゃない〉側にある、ということ？」

「うん。そういう理解の仕方で基本的には合っていると思う。でも、何かが存在するってことをぼく自身がどう捉えているかを、素直に、真剣に考えてみると、いま言ってくれた理解の仕方からどうしても離れていってしまうんだ。というのも、ぼくの現在の意識に現れたさまざまな経験ほど、間違いなく本当に「在る」って言えるものは、ほかにないように思うから」

「たとえば、いま遠くから聴こえている踏切の音とか？」

「うん、その音が聴こえているという、まさにこの経験とか。あるいは、空腹で胃が引っ張られているようなこの経験とか」

「でも、踏切の音だと思って聴いていたものが、じつは別の音だった、ということもあり得るんじゃないの？」

「それは、そうだよ。ただ、その場合でも、何らかの音の経験がありありと存在していることは間違いない。そして、ぼくはいま、何かが存在するってことの、ぼくに理解できる一番たしかな意味を見つけようとしているんだ。つまり、存在していることがすでに認められたあるものについて、それが何なのか――たとえば踏切の音なのか――を知りたいんじゃなくて、そもそも何かが本当に在るというそのこと自体がどういうことなのかを知りたいんだよ」

✝実話とフィクション

「きみにいま聴こえている主観的な音の経験ではなくて、空気の振動としての音波とか、あるいはその音を聴いているときのきみの脳の状態とか、そういう客観的なものこそが「本当に在る」と言うのはなぜ駄目なの？　これって、客観的なものこそが実在するという常識的な見方でしょ？」

「駄目とは思わないんだけど、正直なところ、そういうものこそが本当に在るとはどういう意味なのか、ぼくにはピンとこないんだよ。だって、音波にせよ脳状態にせよ、存在している経験に何らかのかたちで現れていなければ、存在するとは言えないでしょ？　たとえば、音波の観測装置がある数値を示しているのを実際に見る経験をするとか。どんなに精巧な観測装置を使っても、どんなに詳しい資料を読んでも、見たり聞いたり触ったり記憶を思い出したりといった、現在のぼくの経験が〈在る〉ということから完全に独立に、何かが〈在る〉ということを理解することはできないと思う……。ああ、でもこういう言い方をすると、屁理屈を言っていると思われるんだろうな。客観的で科学的な世界像は、主観的な経験の内容から作り出されたフィクションだ、と言い張っているような」

「科学の進歩によって、それまで人々が信じていたことが覆されて客観的なことがたくさん分かってきたよね。たとえば、天動説は間違っていて地動説が正しいとか。あるいは、原子核の周りには電子があるとか。でも、きみは別にこうした説明がフィクションだと言いたいわけじゃないんだね」

「うん。そうした説明はとても信頼がおけるものだし、フィクションよりも実話のほうにずっと近いものだと思う。もちろん、未来の科学において訂正されることはあり得るけど、それでも、こうした説明をフィクションと呼ぶのは乱暴だ。原子核の周りに電子があるという話は高い説得力を持っていて、もしこの話をフィクションと呼ぶのなら、いったい何がフィクションじゃないのか、ぼくにはよく分からない。たとえば、いまこの場所に机が在るという話でさえ、なぜフィクションじゃないと言い切れるのか分からなくなる。この机は目で見えるし、触ったり叩いて音を鳴らしたりすることもできるけど、それでも、これが机であることが絶対に確実だとは言えないし……。だからぼくは、《机のように目に見えるものなら実在するけど、電子のように目に見えないものはフィクションだ》なんていう大ざっぱな主張はしていない」

†ここに在るもの

「客観的で科学的な説明が実話にすごく近いものだと思うなら、どうして、音波や脳状態のような客観的なものこそが本当に在ると主張することに引っかかるの？」

「その主張に従うと、客観的じゃない仕方で在ると信じられてきたものは――、つまり、主観的な仕方で在ると信じられてきたものは〈本当はない〉ということになるんだよね？だって、そういうふうに考えないと、「客観的なものこそが本当に在る」と言うときの

「本当に」の意味がますます分からなくなるから。でも、いま音が聴こえているこの経験とか、いまお腹が減っているこの経験とか、こういう主観的なものが〈本当はない〉んだとしたら、いったい〈在る〉って何なんだろう？」

「さっき、きみはこう言ったでしょ？「存在していることがすでに認められたあるものについて、それが何なのかを知りたいんじゃない」って。たぶんきみは、存在していることがもう認められたものについて優れた説明を与える点で、科学をとても信頼している。そして、そうした説明は、客観的で、実話にすごく近いものだと考えている。でも、とにかく何かが存在しているってこと――、それを〈どのようなものが存在していること〉として説明するかはさておき、とにかく何かが〈本当に在る〉っていうことについては、きみ自身にだけ捉えられている主観的な経験こそがその意味を与えてくれると、きみは考えているんじゃないかな」

「その通りだよ。ぼくは、主観的な説明が客観的な説明に先立つとか、客観的な説明はフィクションだとか、そんなことを言いたかったんじゃない。ある音がぼくに聴こえているとき、ぼくがそれを主観的に「踏切の音だ」と説明することや、それどころか、それを主観的に「音だ」と説明することでさえ、けっして確実な説明ではないし、そうした説明はもっと説得力のある客観的な説明に取って代わられるかもしれない。そして、そのときに科学的な発見はとても役に立つと思う。それでも、とにかく《ここに何かが在る》っていうこと……、それを「踏切の音」と呼ぶかどうかはさておき、何かがここに生々しく現れているっていうことは確実だし、その確実さをもし認めないとしたら、そもそも何かが〈在る〉ってことの意味が失われてしまう」

「きみが何を言いたいのか、わたしは分かってきたつもりだけど……、でも、「ここに在る」ってきみが言った「ここ」っていったいどこなんだろうね？　そして、きみが「ここ」と言い表したものはきみにしか捉えられない主観的なもので、きみが死んだら消えちゃうんだろうけど、それでもきみは、自分が死んでも世界は存在し続けるって信じているでしょ？　そして「実在」という言葉は、まさにそういう、「ここ」の外側に在るものを表す言葉でもある」

「なるほど。すると、実在とは何かっていうぼくの疑問は、こんなふうに言い直すことができそうだ。「ここ」の外側に在るものが客観的な意味で「実在」と呼ばれるとき、その「ここ」ってどこなのかを、客観的に実在することが認められたどこかを指し示すことで答えることはできそうにない。だって、ぼくの言うその「ここ」っていうのは、ぼくだけが捉えているんだから。それでも、その「ここ」こそが生々しく存在することをぼくが知っているのでない限り、何かが〈在る〉とはどういうことかをぼくは理解することができないんじゃないか——、っていうふうに」

ブックガイド

入不二基義『現実性の問題』、筑摩書房。

西郷甲矢人・田口茂『〈現実〉とは何か』、筑摩選書。

9　宇宙人の見つけ方

――宇宙からどんな信号が届いたら、地球の外にも知的な生命体がいることを、わたしたちは信じられるだろうか？

「ジョディ・フォスターが主演の『コンタクト』っていう映画を知ってる？」

「タイトルは聞いたことがあるけど、わたしは観たことがないな。たしか、ＳＦ映画だよね？」

「うん。ジョディの演じている天文学者は、地球の外にも生命体がいることを信じている。それで彼女は何年ものあいだ、ある意味人生を賭けて、地球の外から飛んでくる電波を観測し続けている。というのも、もし、そうした生命体がいて、しかも高い知性を持っていたなら、その存在を示すような信号を宇宙に飛ばしているかもしれないから。こういう〈宇宙人探し〉の研究は、映画のなかだけじゃなく実際にも行なわれているみたいだね」

「それで、彼女はどうなるの？」

「映画の中盤で、彼女は特別な信号をキャッチする。もし、そんな信号が宇宙から地球に届いたら知的な宇宙人がいることを信じたくなるような信号なんだけど、どんな信号だったと思う？　もし、きみがそんな信号を地球に向けて送る立場だったら、どんな信号を送ることにする？」

「そうだなあ。もちろん言葉は通じないわけだから、ある文章を信号に置き換えて送信しても仕方がないし。それに、あんまり複雑な信号だと、気づいてもらえない可能性が高くなる……。電波のオン・オフを一定のリズムで繰り返すような信号はどうだろう？　モールス信号で言うなら、一秒間に一回だけ「トン」と鳴るような信号」

「そういう信号は周期的すぎるから、知的生命と関係ない自然現象と見分けがつかないね。たとえば、一秒間に一度自転する天体があって、その天体がある方向に特定の電波を出し続けている場合、それを地球で観測するときみが言ったような信号になってしまう」

「それじゃ、〈一、二、三、……〉と数を数えていくような信号を送ればいいんじゃない？　〈トン……、トントン……、トントントン……〉という感じで、自然数を並べていくような信号を」

「いいね。『コンタクト』でも、まさにそれに似た信号が送られてくるんだけど、それは

〈一、二、三、……〉じゃなく〈二、三、五、七、十一、……〉っていう信号なんだよ」

「素数！　なるほど」

「素数だったら自然数よりもさらに、たんなる自然現象である可能性は低くなる。そして、その信号の発信者がかなりの知性を持っていることも伝えられる。だって、素数という数学的な概念を知っているわけだから」

✝宇宙の共通言語

「たしかに素数の信号はこの目的によく合っていると思う。でも、どうしてわたしたちは、そんなふうに思うんだろう？」

「それは、素数のような数学的な概念が、たんに知的なだけじゃなく、宇宙的な規模での一般性を持っていると考えているからじゃない？　ようするに数学は、地球人と宇宙人にとっての一種の共通言語だってこと」

「数学じゃなくて、ほかの学問じゃ駄目なの？　たとえば、物理学とか」

「駄目ってことは全然ないし、むしろ物理学は数学の次に共通言語として期待されるものだと思う。ただ、宇宙人の住んでいる環境や彼らの知覚能力は多様だろうから、地球人のものとは違った道筋で物理学が発展しているかもしれない。たとえば、視覚じゃなく聴覚が先導するかたちで発展していたり、あるいは、過去から未来までをいっぺんに知覚できる生命体にとって計算しやすいかたちで発展していたり――。いずれにせよ、究極的に行き着く知識は同じものであり得るけど、〈究極的に行き着く〉なんてことはあまり期待すべきじゃない」

「それに比べて数学は、環境や知覚能力の違いによらずに同じ知識を得られる可能性がもっと高いんじゃないかっていうことか」

「本当のところはよく分からないけどね。ただ、ぼくたちから見た数学っていうものが、そういう高い普遍性と抽象性を持っているのは間違いない。物理学だけじゃなく、化学にとっても生物学にとっても、数学は欠かせないわけだし」

「自然科学をするときに数学がものすごく役に立つってことは、それ自体、不思議なことだよね。もし、数学が地球人の発明したゲームのようなものだったら、どうしてそれを自然現象の説明に活用できるのかが分からない。地球人と宇宙人とが同じ数学的知識を得ることができるんじゃないかっていう期待は、数学が地球人の発明品じゃなく宇宙の基本的な成り立ちに関わっているものなんじゃないかっていう考えと、強く結びついていると思うな」

「数学は〈発明される〉ものじゃなく〈発見される〉ものだってことかな？　たとえば虚数みたいな、日常的にはその存在を実感しづらい数の概念でも、物理学や工学でとても役に立っていると聞くと、それは発明されたんじゃなくて発見されたんだと考えたくなる。すべての数学的な概念について同じことが言えるのかは分からないけど」

†地球人から見た知性

「ちょっと気になるのは、〈知的な生命体〉と言うときの〈知的〉って何なのかってことだね。数学は論理学とも密接に繋がっていて、地球人にとっての知的な思考の土台になっている。数学や論理学って聞くと、そんなの自分には関係ないと思う人もいそうだけど、少なくともその基礎的な部分については、誰もがそれに関係した仕方で知的な思考を行なっている。だから、地球の外にいる知的な生命体を探すときにも、〈知的〉というのを最初からそういう意味で捉えることになる」

「すると、《知的な生命体だったら素数の概念を持つかもしれない》っていうのは、間違った意見ではないけれど、説明がひっくり返っているってことか。《知的な生命体だったら素数の概念を持つかもしれない》というより、《素数が分かるような生命体だったら、地球人はそれを知的と見なす》ってことだから」

「地球人とまったく違った知性の在り方というものを、わたしたちは想像できないのかもしれないよ。そして、地球人にとって知識と見なせるものは、地球人にとっての知性で扱えるものだけなのかもしれない。だとしたら、どんなに客観的で普遍的に見える知識でも、つねにそこには〈地球人にとって〉という条件が隠れていることになる」

「客観的で普遍的な知識というものは、本当はないってこと？」

「いや、そうじゃなくて、客観的で普遍的という概念はそもそも〈地球人にとって〉という条件のもとでのみ意味を持つ概念だってこと。でも、わたしはこう言うことで、《何が真実であるのかは古今東西の文化によって異なるし、結局のところ人それぞれだ》と言いたいわけじゃない。古今東西の人々はみんな地球人であり、つまり、人類という一つのものなんだから」

「それじゃ、きみの考えのもとで《人類はだんだんと客観的で普遍的な真実に近づきつつある》と言っても、べつに間違いではないってことか」

「そうそう」

「ぼくはＳＦを読むのが好きで、地球人が初めて宇宙人と出会う〈ファースト・コンタクトもの〉をたくさん読んできたけど、そうした小説は、純文学的なものと大衆文学的なものに分けられると思ってきた。大衆文学って、ほとんど死語だけど」

「直木賞を貰えるのが大衆文学」

「エンターテインメント性が強いのが大衆文学だね。大衆文学的なファースト・コンタクトものでは、宇宙人の知性の在り方が地球人とほとんど変わらない。ただ、肉体の構造が違ったり価値観がちょっと違ったりするだけで、その宇宙人は本質的な意味では人間とあまり変わらない。だからこそ、地球人と宇宙人のあいだに一種の「人間」ドラマが生じる——。それに対して、純文学的なファースト・コンタクトものでは、宇宙人の知性の在り方が地球人と大きく違っていて、そもそも彼らが思考というものをしているのかどうかさえ明確じゃなかったりする。だから、その宇宙人が本当に宇宙「人」なのか、つまり人間になぞらえられるような知的な存在なのかを考えることができるし、さらにそのことを通じて、人間とは何なのかを考えることもできる」

「〈ハードＳＦ〉っていうＳＦの区分を聞いたことがあるんだけど、この区分はその話と関係あるの？」

「直接は関係ないと思うよ。ハードSFには科学的な叙述がたくさんあって、それがストーリーに関わってくるけど、宇宙人についての科学的な叙述が多いかどうかは、その宇宙人の知性の在り方が地球人っぽいかどうかと関係ないから。たとえば、ぼくが最近読んだ『プロジェクト・ヘイル・メアリー』っていうSFに出てくる宇宙人は、科学的に見ていろいろと面白い特徴を持っている。でも、その宇宙人の知性の在り方は、まるっきり大衆文学的だったな」

「わたしがもし宇宙人からの信号を受け取れるんだったら、純文学的な宇宙人から受け取ってみたいけれど、それは確率的に無理というより、論理的に無理なのかもしれないね。いったい何を受け取れば、それを受け取ったことになるのか分からないから」

ブックガイド

鳴沢真也『天文学者が、宇宙人を本気で探してます！——地球外知的生命探査〈SETI〉の最前線』、洋泉社。

スタニスワフ・レム『ソラリス』、沼野充義（訳）、早川書房。

10 自然が数学で書ける理由（わけ）

——自然の対象を研究するどんな学問分野においても、調べられているのはその対象だけでなく、観察者自身の脳でもあるのではないか？

「何だか難しそうな本を読んでるね」

「哲学者のカントが書いた『プロレゴーメナ』って本。カントが自分の哲学を分かりやすくまとめた本らしいんだけど、それでもまだまだ難しいから、その解説書もいっしょに読んでる」

「どうして、そんな本を読んでるの？」

「地球の外に知的な生命体を探すときには、〈人間から見て人間の知性に似ているもの〉を持った生命体を探すしかないんじゃないかって、前にわたしたちで話したでしょ？　その話を大学の先生にしたら、この本を貸してくれた」

「何かいいことが書いてあった？」

「なんというか、わたしがボンヤリと考えていたことが、ずっと研ぎ澄まされた仕方で書かれている。たとえば、〈認識が対象に従う〉んじゃなく〈対象が認識に従う〉と書かれているんだけど……。わたしなりの表現で言い換えてみると、わたしが何かを認識するときは、わたしが人間であるってことに縛られた仕方でしかそれを認識することができない。つまり、わたしはすべての対象を人間特有のメカニズムを通して認識しているから、そうやって認識されたどの対象にも、人間特有のメカニズムの在り方が必ず反映されることになる」

「抽象的すぎて、よく分からないなあ。それだけ聞くと、認識をする人間の心のなかにすべてのものが存在するって言っているみたい」

「いや、そうじゃないよ。むしろ、カントはそういう考えを否定して、人間の認識を超えた何らかのものがそれ自体として存在することを認めてる*。でも、それは文字通り人間の認識を超えているから、それがどういうものなのか、わたしたちにはぜんぜん分からない。だから、わたしたち人間は、その何だか分からないものから人間の感覚に与えられたものを——、そして、そうやって感覚に与えられたものが人間なりの理性や概念によってまとめ上げられたものだけを客観的な対象として認識することになる」

†認識にどう従うか

「その〈まとめ上げられる〉というのは、ぼくが意識的に自分なりの仕方でまとめ上げるのとはまったく違うんだね？　だって、ぼくがそんなふうにまとめ上げたものは、ぼくの主観的な産物であって、ちっとも客観的じゃないだろうから」

「そうそう。〈人間特有のメカニズム〉とさっきわたしが言ったものは、一人ひとりの人間が意識的に作動させるようなものではないし、古今東西の文化によって異なっているようなものでもない。それは勝手に作動していて、その作動によってもたらされたものだけが人間の経験のなかに現れてくる」

「なるほど。でも、そうだとすると、〈対象が認識に従う〉って言われるときのその〈従い方〉はかなり基本的なものになりそうだな。カントはいったいどういうものを、その〈従い方〉として考えているんだろう？」

「わたしに読み取れた限りで言えば、空間と時間という枠組みや、原因と結果という枠組みや、それから数と論理といった枠組みのもとで対象が認識されるのは、その〈従い方〉のおかげみたい。だから、わたしに認識された客観的な対象は必ず、時間的で空間的な位置を持っているし、他の対象との因果関係を持っているし、数量的で論理的な構造を持っていることになる」

「そこまで基本的なものを考えるわけか！　それなら、《それ自体として存在する何だかよく分からないものが、人間の認識に従うことで初めて客観的な対象として現れる》って話も、馬鹿げた話には感じなくなってきたよ。ただ、空間と時間とか、そこまで基本的なものを〈従い方〉のほうに結びつけるくらいなら、それ自体として存在するもののほうにそういう基本的なものを結びつけたほうが明快なんじゃないの？」

「その明快なやり方についてはカントももちろん論じていて、そのやり方がいろいろな難問の発生源になってきたって言っている。たとえば、そのやり方をとった場合、《数学が必然的な正しさを持っていて、さらにそれを自然現象の記述に使えるのはなぜなのか》を説明できなくなるとか」

「それに対して、カントみたいに考えるなら、自然現象を記述するときに数学があれほど役に立つ理由をうまく説明できるってこと？」

「うん。彼の考えによれば、客観的な対象を観察するときにも、頭のなかで数学をするときにも、空間性とか数量性とかについての共通した枠組みに従っているから、自然現象を記述するときに数学が使えるのは不思議なことじゃなくなる」

†ルールのなかの脳

「うーん、現代の高度な数学についても同じことが言えるのかは疑問だけど、たしかに興味深い考えではある……。ところで、いまの話って、脳のメカニズムの話に置き換えてもいいのかな？　人間はあらゆる経験を脳のメカニズムを通して行なっているから、自然現象の観測結果にも脳のメカニズムの在り方が反映されている、という話なら、ぼくとしてはずっと納得しやすい。そして、数学の探求結果にも脳のメカニズムの在り方が反映されているからこそ、自然現象を数学を使ってうまく記述することがしばしばできるんだ、という話なら」

「たしかに、そのほうが分かりやすいね。実際、それに似た解釈のもとでカントの哲学からヒントを得て、空間認識をするときの脳のメカニズムを調べた結果、「場所細胞」というものを発見してノーベル賞をとった科学者もいるみたい。ただね、そうした置き換えをすると話が分かりやすくなる代わりに、カントのもともとの話にあった重要な要素が損なわれるんじゃないかな。というのも、脳とかそのメカニズムっていうのは、時間的で空間的な位置を持っているし、因果関係や数量的な構造も持っているわけで――、つまり、すでに〈認識に従った〉対象として脳という対象は現れている。それなのに、そこでの〈従い方〉が脳によって与えられたものであると言うのは、おかしくない？　まるで、《あるルールによって作り出されたものが、初めてそのルールを作り出した》というような変な話になっちゃってる」

「脳が優れたメカニズムを備えていることはたしかだけど、カントの議論で問われているメカニズムは脳のメカニズムではなく、脳のメカニズムすらも認識可能にしている、もっと根本的なメカニズムだってことか……。でも、そのメカニズムの担い手になっている、それ自体として存在しているものが何なのかはけっして分からないんでしょ？」

「担い手であるそいつの正体については、カントは語らないし、語れない。それは、人間に理解できるものの限界を超えているから」

「難しい……。難しいけど、カントが何か重要な問題をつかんでるのは分かる。ただ、それ自体として存在するものっていうアイデアを文字通りに受け止めた場合には、カントに興味を持った科学者も最後は去って行っちゃうかもしれないね。だって、そいつの正体についての科学的な研究はできないんだから。その点では、カントの哲学からヒントを得て脳のメカニズムを調べるような、たぶんカントの解釈としては不正確なやり方のほうが、科学的な生産性がありそうだ」

「わたしも、そういうやり方は否定されるべきじゃないと思う。あらゆる経験の内容には脳のメカニズムの在り方が反映されているっていう考えは、カントの解釈として間違っていたとしても、それ自体が面白い考えだよね。そして、その考えを推し進めたなら、自然科学についての見方も大きく変わることになるかも。だって、その場合には、自然の対象を研究するどんな学問においても、観察者の外部にある対象を調べているだけじゃなく、そうした対象と観察者の脳との相関関係を同時に調べていることになるから」

「それって、あらゆる自然科学は、同時に脳の科学でもあるってこと⁉」

「そうそう。考えようによっては、自然の対象を扱っていない純粋な数学的研究ですら、ね。数学者たちは、数のような数学的対象と数学者たちの脳との相関関係をずっと調べてきたのかもしれない。というのも、数学的対象としてどんなものが考えられるのかにも、脳のメカニズムの在り方が反映されているだろうから」

＊この「何らかのもの」をカントは「物それ自体」と呼ぶが、この呼び方には論争の火種がある。ここでの「物」という表現は、普通の意味で認識される「物」を拡張したギリギリの（見方によって

は破綻（はたん）した）比喩になっている。

ブックガイド

御子柴善之『カント哲学の核心——『プロレゴーメナ』から読み解く』、NHKブックス。

冨田恭彦『カント入門講義——超越論的観念論のロジック』、ちくま学芸文庫。

11 〈生活神経〉と心配性

――たくさん心配をする人は、みんな心配性なのだろうか？　そして、たくさん心配をすることは、それ自体として良くないことなのだろうか？

「図書館で『心配事の9割は起こらない』っていう本を見かけたんだけど、心配事の1割も起こるんだとしたら大変だ、とぼくは思ったよ」

「きみは心配性だから」

「ぼくの場合、変なこともたくさん心配するから、心配事の9割どころか99パーセント近くは起こっていない。ただね、いま「変なことも心配する」って言ったけど、これはほかの人の評価に合わせて「変」と言ってみただけで、自分ではどこまでが変でどこからが変じゃないのかがちゃんと分かっているわけじゃない」

「もし、それがちゃんと分かっているんだったら、変な心配を減らす方向に自分をコントロールできそうだもんね」

「心配事の9割は起こらないっていうのは、余計なことまで心配しすぎるなってことなんだろうけど、どれが残りの1割なのか前もって分からないからこそ、残りの9割の心配もしなくちゃならない。ぼくから見たら、心配事の1割が的中する人は打率がまあまあ高いというか、心配の仕方の効率がそれなりに良い人だよ」

「まあね。反対の例を挙げてみると、心配事の9割が起こるっていう人がいたら――、つまり、心配事の1割だけが起こらないっていう人がいたら、「もっとほかのことも心配しなよ」と言いたくなる。そういう人は、もっといろいろ心配していれば防げていたはずの失敗をたくさんしていそう」

「あるいは、心配の仕方の効率がめちゃくちゃ良い人か、だね。その人は超人的な能力を持っていて、ある状況をちょっと思い浮かべただけで、そこに心配すべき問題があるのかどうかを瞬時に適切に判断できるってわけ。いや、もしかしたらその人は、ある状況をちょっと思い浮かべることさえやっていないかもしれない。心配する価値のない心配事については、そもそも意識に浮かんでさえこないっていう意味で」

†展開を読まない

「その話と関係なさそうで、じつは関係がありそうなことを思いついたから話していい？　将棋を指せるコンピュータ・ソフトはいまではものすごく強くなっていて、家庭用のコンピュータで実行してもそれに勝てる人間はまずいない。それで、そういうソフトを実行するときに一手先までしか読ませないように設定することができるんだけど、言っている意味が分かる？」

「一手先までというのは、対局中のある局面でそのソフトが次に指したところまでってことかな？　ある局面で次に指すことのできる手は将棋のルールで決まっていて、たとえば初期配置の局面で先手に指すことができる手は、ええと……、三〇通りある」

「そうそう。だから、そんなふうに設定したソフトは、自分の手番のときに一手先の局面として可能なもののそれぞれについてだけ、どちらの対局者がどのくらい有利かの点数評価を行なって指す手を決めるわけ。自分が一手指した後、相手が次に一手指したらどんな局面になるかはまったく考えずに」

「そんなやり方でちゃんと将棋が指せるの？」

「わたしも対局してみたけど、ほとんど勝てないくらい強かった！*　先の展開を読んでいないのにあれだけ強いのは、言ってみれば「勘」がめちゃくちゃ良いってことだよね。ある局面をパッと見ただけで、かなり的確な評価ができる関数を使ってる」

「そうなんだ」

「それでね、これって将棋で考えると——プロの棋士はさておき——人間離れした能力に見えるけど、でも、人間だって生活のなかで似たような能力をたくさん発揮してる。たとえば、車の運転に慣れた人は、対向車や歩行者や自転車がごちゃごちゃ動いている道路の状況でも、細かいことを考えずに安全に車を走らせることができる。あの対向車があの辺りまで進んだとき、あの歩行者はあの辺りにいるはずだから、そのとき自分の運転してい る車があの辺りにいるようにしておこうとか、そんなふうに展開を読まなくてもパッと見でうまくやれることが多いってこと」

「たしかにそうだね。サッカーとか、スポーツが上手な人も、そんな感じでうまくやっている。考える前に身体が動いているというか」

†生活神経？

「自分がイメージした通りに身体を動かせる人は「運動神経がいい」と言われるでしょ？でも、それだけじゃなくて、先の展開をわざわざイメージせずにパッと見で的確に動けることも、運動神経の良さの大事な条件だと思う」

「ああ、この話とさっきの話のつながりがやっと分かってきた。きっときみは、〈スポーツにとっての運動神経にあたる、生活にとっての何か〉が鈍い人は心配性になりやすいって言いたいんじゃないの？　反対に、その〈何か〉が鋭い人は、先のことをあれこれ考えなくてもパッと見で大抵うまくやれる。そして、パッと見じゃなくしっかり先の展開を読まなくちゃいけない場面になったときにだけ心配をすることになる」

「そうそう。だから、心配性の人たちのなかには、「生活神経」とでも呼べるようなものが鈍い人が結構いるんじゃないかな？　パッと見で何かをすると失敗したという経験がとても多いから、あれもこれも展開を読んでから動くことが増えていくうちに、心配になることが増えてしまうっていう」

「それは、よく分かる話だな。ぼくはさっき、ふだん心配していることの99パーセントくらいは起こっていないと言ったよね。つまり、かなりたくさんの展開を読んでいるわけだけど、にもかかわらず、ぼくは今でもときどき、ほかの人がしないような危険で変な失敗をする。だから、ぼくのようなタイプの人間に向かって「心配するのを減らしなさい」と言うのは、ほとんど役に立たないってことが分かるね。そういう人間に本当に必要なのは、心配を減らすことじゃなく、心配を減らしてもうまく生きていけるような生活神経の良さだから」

「なんだか、心配性って何のことなのか、だんだん分からなくなってきたよ。きみの場合、たしかに心配の数は多いけど、もしその数を減らしたら生活に支障が出てくるよね。だから、きみの心配性はけっして悪いものじゃないし、むしろ良いものなんじゃない？　ある意味では、きみはきみにとって必要なぶんの心配をしているだけなんだから」

「ぼくが心配していることをほかの人にも心配するように強制したりしなければ、とくに問題はないってことか」

「心配性は良くないものだと世間で言われることが多いけど、そう言われるときの心配性と、きみみたいなタイプの心配性は意味が違うのかもね」

「たぶん「心配性」って言葉は、世間の多くの人にとって〈余計な心配をたくさんしているように見える〉人に貼られたラベルで、つまり外から見える「現象」についてのラベルなんだよ。だから、同じそのラベルを貼られた人たちのあいだでも、内部のメカニズムには違いがあり得る。ぼくの場合みたいに、ある意味で自分に必要なぶんの心配をするためのメカニズムもあれば、そうじゃないメカニズムもある。「心配事の9割は起こらない」

って言われて気持ちが楽になる人の多くは、心配する必要がないと自分でも分かっていることを堂々巡りで考えてしまうメカニズムを持っているんじゃないかな」

「たくさんの展開を読んでしまうというより、一度しっかり読み終わって、もう読む必要がないと自分でもよく分かっている展開を何度も読み直してしまう感じだね。でも、そういう人たちにとって「心配事の9割は起こらない」というのは、心配事の回数をのべで数えた場合だなあ。そして、その場合にのべで数えるのがふさわしいのは、心配事というよりも「心配すること」だと思うよ。だって、同じことを百回心配する人は、心配事を百個持っているわけじゃないから」

＊「やねうら王公式サイト」（https://yaneuraou.yaneu.com/）の二〇二二年七月一九日の記事によると、ディープラーニングを使った最新のソフトでは次の一手さえ読まない設定でもアマ五段ほどの棋力があるという。

ブックガイド

山本一成『人工知能はどのようにして「名人」を超えたのか？──最強の将棋AIポナンザの開発者が教える機械学習・深層学習・強化学習の本質』、ダイヤモンド社。

コンピュータ将棋協会（監修）『人間に勝つコンピュータ将棋の作り方』、技術評論社。

12 世界は急に消えるかもしれない

——世界がこのようになっていることに究極的な理由がないとして、そのことから、世界は急に消えてしまうかもしれないと結論づけることはできるのか？

「小さな子供としゃべっていると、「なんで」「なんで」って繰り返し訊かれて答えに詰まることがあるよね。たとえば、「なんで空は青いの？」と訊かれて、光の波長と色の関係とか、大気による光の拡散とかを分かりやすく説明していっても、最終的には、「自然はとにかくそうなっている」としか言えなくなる」

「観察されたデータについても、科学的な法則についても、どんどん遡（さかのぼ）って説明していくと最後はそれしか言えなくなるね。説明の限界到達地点というか」

「どんな現象についても、それが存在することの説明が〈とにかくそうなっている〉という事実に行き着くんだとすると、それが存在することは偶然だってことになるよね？　だって、とにかくそうなっていることには究極的な理由がないんだから。究極的な理由がない以上、現実にはとにかくそうなっているどんなことに関しても、それがそうなっていないことはあり得た。これはつまり、どんな現象もそれが存在しないことはあり得たってことでしょ？」

「うーん」

「ぼくは、このことを考えていて、たまに怖くなることがある。いま言ったことが正しいんだとしたら、世界からは次の瞬間、すべての現象が急に消滅してしまうかもしれない」

「すべての現象が急に消滅するかもしれないってことは、世界そのものが急に消滅するかもしれないってこと？」

「そうだね。そう言い換えてもいいと思う」

「きみのいまの話には分かる部分もあるけれど、よく分からない部分もある。一番引っ掛かりを感じるのは、究極的な理由がないってことと偶然だってことが置き換えられているところ。たしかに、何かが偶然的に存在するとき、それが存在することには究極的な理由がなさそうだけど、だからといって、その逆の考えが正しいかどうかは分からない。つまり、究極的な理由なしに存在しているものは偶然的に存在する、という考えが正しいのかどうかは」

「そうかな？　もし、それが正しくないとすると、究極的な理由なしに存在しているのに必然的に存在するものがあってもいい、ということになりそうだけど、ぼくはそれはあり得ないと思うなあ」

「いったん話が逸れるけど、きみは神様がこの世界を創ったと考えているわけじゃないんだよね？」

「そうだね。神様にせよ悪魔にせよ、何らかの知的な存在がこの世界を創ったとは思っていない。もし、そんなことがあったなら、その知的な存在は世界が存在するよりも前に存在していたことになるだろうけど、神様であれ悪魔であれ何かが存在していたなら、すでに世界が存在していたんじゃないとおかしい」

「そこで言う「世界」っていうのは、わたしたち人類が観察してきた〈この宇宙〉と必ずしも同じものじゃないよね？　もし、〈この宇宙〉が神様に創られたものであったとしても、〈この宇宙〉が創り出される前にも世界があって神様はそこにいたはずだ、ときみは言っているんだろうから」

「うん。いま、ぼくが「世界」と言ったのは、存在するもののすべてを含み込むものとしての世界だね。その意味での世界というのは存在するものの全体だから、つねに一つしかない」

「で、その意味での世界については、誰かによって創られることはあり得ない、と……。それじゃ、話を元に戻すけど、それが存在する究極的な理由がないのに何かが必然的に存在することを、きみはあり得ないと感じている。でも、そんなふうに感じるのは、きみが時間の流れについてこんなイメージを持っているからじゃない？　次々と新しい瞬間が現在の瞬間になっていくとき、次の瞬間の世界をどんなものとして創り出すのかを誰かが決めているようなイメージを。もちろん、きみはそんな「誰か」なんていないと考えているだろうけど、それでも、次の瞬間の世界がどんなものであるかについて究極的な理由が有るか無いかにきみがこだわっているのは、いま言ったイメージに近いものをきみが持っているからじゃないかな。未来の世界の生成を擬人的に捉えている、というか」

「ぼくとしては、もっと単純に、現在の世界から自然法則に従って次の瞬間の世界が生じてくると考えているつもりなんだけど、そこに一種の擬人化があるってこと？　自然法則に従っている世界がそれ全体として一つの知的な存在であるなんて、ぼくはまったく思っていないよ」

「うん。それでもきみは、現在の世界が自然法則に「従っている」と考えているんでしょ？　わたしはその「従う」という見方にやっぱり擬人化があると思う。ちょっと考えてみてほしいんだけど、現在の世界が法則に従って未来の世界を生じさせることと、現在の世界と未来の世界のあいだに法則性があることは、別のことだよね？」

「どういう意味？」

「たとえば、そこの窓からわたしがこのカバンを落とすと、すぐ後の未来には、このカバンはある速度で地面に衝突する。このとき、わたしがカバンを落としたことと、すぐ後にそれが地面にぶつかることのあいだには力学的な法則性があって、どれくらいの速度で地面に衝突するのかを計算して予測することもできる」

「そうだね」

「でも、このことを、《現在の世界が法則に従って未来の世界を生じさせた》という仕方で理解する必要はないし、*そもそも、そんなふうに理解することが何を理解することなのかも、じつはよく分からない。だって、「従う」とか「生じさせる」といった、まるで世界が自主的に行為しているかのような表現が何を意味しているのかが分からないから」

†理由のない必然

「すると……、世界がそれに従って現象を生じさせるための法則が現象とは別に在るわけじゃなく、世界には現象しかなくて、そのさまざまな現象のあいだに法則性が認められるだけだって考えればいいのかな？　なるほど、そうやって考えると、法則性があることと未来が創り出されていくことは、たしかに別のことになりそうだ。でも、この話と、最初にぼくがしていた話はどんな関係にあるんだろう？」

「きみは、究極的な理由なしに生じた現象について、それが存在することは偶然だって感じていた。でも、世界を擬人化しないように注意して、〈時間が流れていくこと〉と〈未来をある仕方で創り出していくこと〉を区別するなら、究極的な理由なしに生じた現象についても、それが必然的に存在することはあり得るんじゃない？　たとえば、いまから一分後にそこの窓からコウモリが飛び込んでくるとして、そうなることには究極的な理由がないとする。過去のデータや自然法則によって、そうなることが完全には決定されない、と言い換えてもいい」

「うん」

「この場合、現在のわたしたちにとって、一分後にコウモリが飛び込んでくるかどうかは不確定に見える。でも、世界の歴史というものがそもそも一通りしかなくて——私たちが時間をよく一本の線で表現するように——一分後の世界の在り方も、コウモリが飛び込んでくるっていう一通りの在り方しかとにかくないのだとしたら、やっぱり必ず一分後にはコウモリが飛び込んでくることになる。過去のデータや自然法則によって完全に決定されているのかっていう話と、歴史の内容は必然的かっていう話は、じつは切り離すことができるから」

「ちょっと確認をしておきたいんだけど……、《だから、すべての現象が急に消えることはあり得ない》って、きみは主張しているわけじゃないよね？ きみのここまでの話からは、そういう結論は出てこないでしょ？」

「うん。わたしが反対していたのは、どんな現象も結局は〈とにかくそうなっている〉だけだっていう事実から、すべての現象は急に消えるかもしれないっていう結論を導くことであって、この結論それ自体に反対していたわけじゃない。むしろ、この結論だけを見るなら、きみが言ったのとは別の理由から、わたしは正しいんじゃないかと思ってる」

「結論がぼくと変わらないなら、ここまで議論してきたことは無駄だったってこと？」

「まさか！　結論が同じときにこそ、いろいろと議論することで、結論に至る道筋に違う部分がないのかを確かめなくちゃならない。二人の結論が違うなら二人が違う意見を持っていることがすぐに分かるけど、二人の結論が同じときにはそうじゃないから」

「そうか。それじゃ、さっきの結論にきみが賛成する理由を、いまからぼくは聞かなくちゃいけないね。すべてが急に消えてしまわないうちに」

＊物理学の基本法則の時間反転対称性を考慮するなら、なおさら、このように言える。

ブックガイド

斎藤慶典『危機を生きる――哲学』、毎日新聞出版。

カンタン・メイヤスー『有限性の後で――偶然性の必然性についての試論』、千葉雅也・大橋完太郎・星野太（訳）、人文書院。

コラム2　哲学の文章を精確に読むために

哲学的な文章を精確に読むために、身につけておくとよい態度があります。それは哲学愛好家の多くが、いつの間にか、何となく身につけている態度なのですが、ここで活字化しておくことにもきっと価値があるでしょう。

その態度をひとことで言うと、《この文章の書き手にはあらかじめ守りたいものがあり、それを守ることを目的として理屈を並べている》という思い込みを持たずに哲学的な文章を読む態度です。これは、じつのところ、たくさんの精読を重ねることなしにはなかなか身につかない態度です。インターネット上の書評などを見てみると、この態度をもって哲学書を読むことを多くの人が苦手としていることが分かります。その結果、文章に実際には書かれていないことを行間から勝手に読み取ってしまい、読み取ったそれへの攻撃欲が増すことで、ますますその文章を精確に読めなくなってしまうのです。

具体例を一つ挙げてみましょう。ベンジャミン・リベットという科学者は、彼の実験結果をもとに自由意志の存在を否定しました。彼の議論は世界中で注目され、数十年にわたり、さまざまなメディアで紹介されてきました。ところが、その実験の詳細を見てみると、その実験結果を根拠に自由意志を否定するという議論にはたくさんの飛躍と誇張があることが分かります。そこで、幾人もの哲学者が、《リベットの実験からは自由意志が否定されない》と主張する文章を出版するに至ります。

ここからどんなふうに誤読が始まるのでしょうか。いま述べたような文章を前にして、一部の読者は、そうした文章の書き手が自由意志を守りたがっているという背景を勝手に読み取ります。そのうえで、《自由意志を守りたがっている哲学者が、自由意志を否定する科学に抵抗している》というステレオタイプで誤ったストーリーを思い描き、そのストーリーありきの仕方で文章を読んでいくために、正しい読解ができなくなっていきます。

いま挙げた例を改めて見てください。上記のような文章の書き手は、文字通り、《リベットの実験からは自由意志が否定されない》と主張しているのであって、それ以上のことは主張していません。それ以上のこととは、つまり、自由意志が存在するということです。その書き手は、自由意志の存在について中立的な立場（それが存在するともしないとも主張しない立場）にいるかもしれず、あるいは、自由意志は存在しないとさえ考えているかもしれません。それでもなお、その書き手は、《リベットの実験からは自由意志が否定されない》と明瞭に主張することができます。そして、この主張を通して、自由意志についてのより精密な理解を私たちに促すことができるのです。

ここには、あらかじめ守りたいもの（結論）が決まっている競技ディベートには見出しがたい、哲学的な議論の良さがあります。ある哲学者が、自由意志は存在しないと考えている一方で、《リベットの実験からは自由意志が否定されない》と主張する文章を出版したとき、哲学というものをよく知らない人は不思議に思うかもしれません。その人物とリベットのあいだで〈自由意志は存在しない〉という結論が一致しているのなら、その人物はなぜリベットの議論にわざわざ異を唱えるのか、と。ですが、結論だけを見たときにそれが一致しているかどうかは、哲学的には重要ではありません。哲学的な議論は、自分の結論を相手に押し付けるためになされるのではなく、推論や分析を経てある結論が導かれてくる、その過程の全体を皆で吟味するためになされるからです。

《書き手にあらかじめ守りたいものがある》という思い込みを捨てて哲学的な文章を精確に読むためには、人間を単純に二分するような区分を使いすぎないことが有効です。たとえば、リベラルvs保守とか、文系vs理系とか……、あるいは哲学史の教科書によく出てくる区分を挙げるなら、一元論者vs二元論者とか、実在論者vs観念論者とか……。こうした区分は、過去の論争状況をざっくりと学ぶときには役に立ちますし、正直に言えば、こうした区分のもとで〈あらかじめ守りたいもの〉を守るために文章を書いていそうな研究者もいます。ですが、いつでもこうした区分に頼って細部を読み飛ばす読書をしていると、それは哲学的な文章を読むうえで致命的な悪癖となります。というのも、真に面白い哲学的洞察は、単純な二項対立では捉えきれない部分にこそ見出されることが多いからです。

このコラムの最後に、批評にかかわる、あまり知られていない事実を紹介しておきましょう。○○論vs××論のような対立から距離をとり、二項対立の背後にある哲学的問題について書かれた文章というのは、ともすると、旗幟が不鮮明で八方美人的な文章になるのではないかと思われるかもしれません。しかし、繊細かつ大胆な仕方で二項対立の背後を描き出した文章は、八方美人的であるどころか、少なくとも三つの方向からの批判に晒されるものとなります。なぜなら、そうした文章はしばしば、その繊細にしてもっとも重要な部分を読み飛ばされたうえで、○○論の側からは××論的であると批判され、××論の側からは○○論的であると批判され、○○論vs××論の対立こそが真に重要な争点であると考えている人々からは、真に重要なことを論じていないと批判されることになるからです（さらに言うと、そうした文章は人目を引きづらく「売れづらい」ものです）。

だから、こうした文章を書き続けていこうとする書き手には、文章を精確に読み解く力を持った一部の読者への信頼が欠かせません。心のどこかですべての読者を馬鹿にしているような書き手――、《すべての読者は自分の思い込みに沿った斜め読みしかしないのだ》と思っているような書き手には、けっして、そうした文章を書き続けていくことができないのです。

〈論述〉編

13 コロナの時代の恋

――誰もがマスクを着けており、お互いの顔を見ることが難しい生活は、恋愛というものの在り方についてどんなことを教えてくれるだろう？

あなたがこの文章を読んでいる時点で、新型コロナウイルスの世界的な流行は、もう過去の出来事になっているかもしれません。そして、たとえば、二〇二〇年の春に日本の中学・高校に入学した学生は、卒業までの三年間の学校生活のほとんどをマスク姿で過ごさざるを得なかったという話が、まるでSFのように感じられるかもしれません。でも、それは現実の話であり、老若男女がマスクを着けて社会活動をしていた時期が日本にもたしかにありました。以下の文章を書いたのは、そんな時期の只中のことです。

テレビ番組『探偵！ナイトスクープ』にこんなエピソードがあった（二〇二二年九月九日放送回）。中学生のある少女が、付き合って二カ月になる彼氏とまだお互いにマスクを外した顔を見たことがないという。コロナウイルス禍の学校生活でずっとマスクをしてきたためだ。そして、自分がマスクを外して相手にガッカリされるのが怖いので、この状況を変えられないという。

番組では、二人は夕暮れの公園で初めてお互いの顔を見せ合って微笑ましい会話をかわすのだが、それについては実際の番組をオンライン配信などで観て頂きたい。いま考えてみたいのは、誰もがマスクをしている世の中で恋愛がどんな影響を受けるのか、そして、そのことは恋愛や人間関係についてどんなことを教えてくれるのか、である。

相手の顔の魅力度が、その相手を恋愛対象と見なせるかどうかに少なからぬ影響を与えることは――もちろん例外はあるけれども――一般的な傾向として否定しがたい。顔に魅力のある人は好かれやすく、顔に魅力のない人は好かれにくい。これは道徳的な判断に先立つ、いわば生物としての人間の反応に由来する。

こうした生物的な反応を社会のあちこちでそのままにしておくことは、ルッキズム（容姿に基づく差別主義）の温床となる。たとえば面接試験において、仕事や学業で求められている能力ではないにもかかわらず顔の魅力が合否に関わってきたなら、それは倫理的に望ましくない。それはルッキズムの観点において、不公正な選考であると言える。

「ルッキズム」という表現は、狭い意味で使われることもあれば広い意味で使われることもある。その広い意味においては、容姿至上主義（他者を評価する際に容姿への評価を最重要と見なす）もまたルッキズムの一種と見なされる。容姿至上主義の問題点は、人間の価値を判断するとき、いつでもそこに容姿への評価を入り込ませてしまうところだ。容姿を貶すときだけでなく容姿を褒めるときでさえ、いちいち容姿に言及することが、見るべき他の価値を見ていないことの反映であることは多い。

†二つの領域

では、恋愛においても、顔の魅力度がその成否に関わってくることは道徳的に良くないことだろうか。たとえばあなたが、マスク姿しか見たことのない相手から告白されて付き合うかどうかを決めるとき、相手のマスクを外した顔を見てから決めたいと思うことは不道徳なのだろうか。

おそらく、そうではない。「決める前にマスクを外して顔を見せてほしい」と即答するのは慎みがないけれども、内心でそう思うことまでをも不道徳とするのは無理がある。なぜなら、恋愛の相手に何を求めるかは人それぞれの自由であり、公的ではなく私的なことであるから。そして、相手の顔を見て恋愛対象となり得るかどうかを判断することは、その相手の人間的な価値を判断することとは独立であるから。

これは綺麗ごとに聞こえるかもしれないが、人間のさまざまな価値のなかに、容姿と関係なく認められるべき価値はたくさんある。そして、この事実を知る人なら、相手の容姿が魅力的かどうかとその相手が価値ある人物かどうかが独立であることも知っているだろう。だから、そうした人にとっては、顔を見て恋愛相手を選びたいと思うことと、ルッキズムを批判することとは問題なく両立する。

とはいえ、性別や年齢を問わずに誰もがマスクを着けているという人類史的に見ても特殊な状況は、公的な領域と私的な領域のあいだにあからさまな壁を作ることで、とりわけ恋愛に関しては面倒をひき起こす。マスクがまさに物理的な壁として二つの領域を分断してしまい、従来ならいつの間にか自然に行き来するようになり得た二つの領域が、そうではなくなってしまうからだ。

恋愛において顔の魅力度を気にすることは、先述の通り、公的な人間関係におけるルッキズムの批判と矛盾しない。しかし、誰もがマスクを着けていることが標準化され、公的な人間関係がそのもとで成り立っているとき、マスクの下の顔を見ようとすることは従来とは違う意味を持ってくる。それは、ルッキズムをある程度せっかく妨げてくれているものを取り除こうとする意味を持ってしまう、ということだ。

おそらく、こうした言い方を大げさに感じる人はいるだろう。恋愛において――とくに自分が誰かを好きになるとき――顔はそれほど重要ではないと考える人もいるだろう。だが、いま実際に公的な人間関係のなかで私的な恋愛関係を育みたいと思っている人々のなかには、上記のことがらが大げさではないと感じる人もいるはずだ。そして、そのように感じる人はおそらく、恋愛というものにもともと潜伏している一種の野蛮さに気づいている。それはつまり、自分の欲求に従って、公的な領域から私的な領域に相手を引っ張り込もうとすることの野蛮さだ。*

†見せる／見られる

さて、当然のことながら、相手の顔を見ることだけでなく自分の顔を見られることもまた恋愛においては重要である。自分の顔は他者にとって、恋愛対象になるかどうかを判断するための大きな材料となり得る。それゆえ、マスク着用が標準化された社会では、自分の顔をどのタイミングでどの相手に見せるかについて、従来は考えもしなかった不思議な考慮を求められることがある。SNS等を見てみれば、コロナウイルス禍においてこれがリアリティのある問題として大勢に受け止められている（いた）ことが分かるし、冒頭に挙げたテレビ番組のエピソードもまさにこの問題に関わるものだった。

この問題は通常、自分の顔を見せることで相手にガッカリされるのではないか、という不安と結びつけられている。だから、自他ともに認める美しい顔の持ち主には関係のない問題だと思われるかもしれない。しかし、この問題の根っこにあるのは、自分の顔を普段から公に見せておくことが、恋愛の一種の野蛮さに対して〈ドアを開いておく〉ことに繋がる、という事実である。このことがうまく伝わったなら、顔の美醜がこの問題にとって決定的な要素とは言えないことが分かる。

一例として、次の状況を考えてみよう。あなたはとても綺麗な顔の持ち主で、多くの人があなたの顔に魅力を感じることを知っている。実際、コロナウイルスが流行する前までは、大勢の人から一方的に恋愛対象と見なされることで――逆恨みをされたりストーキングをされたり――嫌な目にたくさんあってきた。ところが、コロナウイルス禍に遠くの街に引っ越してからは、ずっとマスクをしていられることで、そうした被害がずいぶん減る。マスクが、公的な領域と私的な領域の壁になってくれたからだ。

「とても綺麗な顔の持ち主」という設定は、問題を伝えやすくするためのものにすぎない。いま目を向けている問題の源泉は、公にされたあなたの顔を判断材料として、それぞれの他者が一方的に〈どのくらい、どのように、あなたを私的な領域に引っ張り込むか〉という判断をしているところに存在する。

こうした判断は、少なくとも現代の日本においてはごく普通のものであり続けてきたわけで、それが何らかの問題を生むなどとは考えられてこなかっただろう。しかし、誰もがマスクをしているコロナウイルス禍での生活体験は、ここに特殊な問題があることを一部の人々に気づかせてしまった。つまり、誰に対してもお互いの顔をつねに見せ合っていることは人間社会の在り方として唯一のものでなかったのであり、だとすれば、いつ誰に自分の顔をどのくらい見せるのかを——バーチャル・リアリティ技術なども駆使して——ある程度コントロールする権利を私たちはじつは持っているのではないか、という問題だ。

私は、この種の権利が広く認められるべきだと言っているのではなく、将来的にこの種の権利が認められていったとき、恋愛がいわば「アップデート」されていく可能性が興味深いものであると言っている。もちろん、これをアップデートと見なすこと自体が、倫理による恋愛への一つの侵犯であるのだが。

私がいま述べた問題は、当面のあいだほとんどの人に黙殺され続けていくと思うが、それでもいったん気づかれてしまった問題が存在しなかったことにはならない。つねに顔を見せ合うという文化には豊かな側面がたくさんあるけれども、それは多くの人々にとって、他者が審査員である「恋愛オーディション」への参加をつねに強制される文化でもある。その一種の野蛮さを類比的に理解するためには、自分の職業や収入が書かれた札をつねにぶら下げて生活することを強いられた文化を考えてみるとよいだろう。ここで言う「職業や収入」は、恋愛オーディションの審査項目になり得るものの例である。

＊たとえば、次の著書における「道徳と恋愛の相性の悪さ」についての分析は、この野蛮さを考えるうえで参考になる。ベンジャミン・クリッツァー『21世紀の道徳——学問、功利主義、ジェンダー、幸福を考える』、晶文社、第九章。

ブックガイド

『現代思想』二〇二一年一一月号（特集＝ルッキズムを考える）、青土社。

テッド・チャン「顔の美醜について——ドキュメンタリー」、『あなたの人生の物語』所収、浅倉久志ほか（訳）、早川書房。

14　同性婚・リベラル・保守

――同性婚への賛成と反対を、リベラルと保守の対立にどこまで重ね合わせることができるのか？　結婚に必要な条件は〈愛し合っている〉ということだけなのだろうか？

この文章の狙いには直接かかわらないのだが、日本で同性婚を認めることに私は基本的に賛成である。「基本的に」と付したのは、法の整備や運用に関して私の知らないことは多く、それゆえ、日本に同性婚を根づかせていく具体的なプロセスにおいて私の気づいていない問題点があるかもしれない、という懸念による。

冒頭でこのことを述べたのは、政治的なテーマと関連を持つあらゆる文章を読む際に、まずはその著者の政治的立場を確認したがる人々がいるからだ。率直に言って、そのような文章の読み方には問題がある――政治的立場への先入観によって文章を誤読しやすくなる――と私は考えているが、それでも、同性婚のようなテーマに関してそうした傾向が強まるのはやむを得ない部分がある。なぜなら、同性婚の法制化をめぐって現実に闘っている人々にとっては、自分の政治的立場から見た勝ち負けがやはり重要であるから。そして、その勝ち負けから距離を取ったところで同性婚について書いている文章は「本気で書かれていない」ように見えることが多いだろうから（そうした文章のなかにも実際には、同性婚の別の側面について「本気で書かれている」文章はあるのだが）[*]。

同性婚に関する賛成派と反対派の対立は、リベラルと保守の対立に重ねられるのが普通である。リベラルが個人の自由や権利に根差した価値観を重んじるのに対し、保守は昔からの公共的な価値観を重んじる。世界的に見ても同性婚は少し前まで認められていなかったわけで、たとえばイギリスでは、同性婚が認められていなかったどころか、つい数十年前まで同性愛が犯罪であると見なされていた（付け加えるならば、イギリス政府は過去に植民地にも同性愛への刑罰を普及させた）。だから、重要な一つの意味合いにおいて、同性婚への賛成派がリベラルと見なされることはよく分かる。

とはいえ、世界的に広まりつつある同性婚の法制化について、たんにリベラルの価値観のみからこの広まりを説明することには限界があるだろう。そこにはリベラルの価値観だけでなく保守の価値観も関わっており、それゆえに多くの国家において——たとえば日本を除くＧ７の各国において——社会の在り方をそこまで大きく変えずにその法制化を実現することができた。ここで言う保守の価値観とはつまり、近親ではない二人の人間が恋愛関係や性愛関係を核として新たな共同体をつくり、お金のことからケアのことまで何年間も助け合って生きていく（人によっては子供の養育も行なう）という慣習的な生活スタイルを尊重し、婚姻制度によってそれを支えようとする価値観だ。

「これは普通の価値観であって、わざわざ保守の価値観と呼び表わすようなものではない」と考える人は、保守だけでなくリベラルに関しても、その価値観によって守られるべきことの範囲を自分の感覚で決めてしまっている。そうした人は、たとえば、愛し合う三人の恋人たちが婚姻関係を結びたがったとき、それをリベラルな要望とは見なさないかもしれない。なぜなら、二人の人間が愛し合うようにして三人の人間が愛し合うことは、その人から見て「不自然」なことだから。しかし、他者の恋愛に対してすぐさま「不自然」と断じることの危うさを、私たちは歴史から学んでいるはずである。

あなた個人の自由と権利に目を向けるなら、あなたが排他的に性愛関係を持つ相手を誰にするか、あなたの遺産の相当な部分を相続できる相手を誰にするか、あなたが手術を受ける際の同意書にサインできる相手を誰にするか……、等々の大量の質問に対して、ある一人の同じ人間を選ばなくてはいけないことはかなりの制約である。これらの質問に対してそれぞれバラバラの相手を選ぶ権利を保持すること――、実際にバラバラの相手を選ぶかどうかはともかくその権利を保持することは、リベラルの観点にかなっている。そして、リベラルであるか保守であるかを問わず、これらのすべての質問に対する〈ただ一人の答え〉となるような相手を見つけ出し、しかも、その相手にとってもあなたこそが〈ただ一人の答え〉であるようにせよ、というのは、冷静に考えると大変な難題だ。毎日たくさんの人々が婚姻届を提出しているのは、彼ら全員がこの難題をしっかりとクリアできたからというより、結婚するのをごく普通のことと見なす慣習に後押しされたところが大きいだろう。

†十分な保守性

ニュージーランドの議会で同性婚をめぐる法改正が論じられた際、モーリス・ウィリアムソンが行なった演説は「ビッグ・ゲイ・レインボー」演説と呼ばれて広く知られるようになった。インターネットで調べてもらえれば、この演説の日本語訳もすぐに見つけることができる。ウィリアムソンはこの演説のなかで次のように述べて、多くの人々の共感を得た。

「私たちがこの法案でしていることは、お互いに愛し合っている二人が結婚によってその愛を認められるようにすることだけです。それが、すべてです。［…］この法案は、それによって恩恵を受ける人々にとって素晴らしいものですが、残りの人々にとっては今まで通りの生活が続くだけです」（拙訳）

二つの点に目を向けよう。まず、この発言が多くの共感を得たのは、さきほど私が述べた意味においてこの法案が十分に保守的であるからだ。結婚というかたちで近親ではない二人の愛し合う人間が相互扶助的な共同体をつくることは、他の人々の「今まで通りの生活」を脅かさない。そこではむしろ、慣習的な「今まで通りの生活」に参与していこうという姿勢が見受けられる。養子をとることなどを含めて、その二人が子供の養育にも意欲を持っているならば、なおさらだ。

次に目を向けたいのは、ウィリアムソンのこの発言には人の心に訴える力があるけれども、しかし、「お互いに愛し合っている二人が結婚によってその愛を認められるようにすることだけ」という言い方はレトリックにすぎないということだ。法改正によって叶えられたのは、「その愛を認められるようにする」という抽象的であいまいなことではなく、同性婚にも異性婚と同様の具体的権利が認められることである。同性である二人の愛を認めるということと、これまで異性婚に認められてきた具体的権利のすべてをその二人にも認めるということのあいだには距離があり、それゆえ、さきほどの発言に対して、「愛はいくらでも認めるが、これこれの具体的な権利は認めない」という返答が可能であることは無視できない。

このような返答をブロックするためには、「愛」という耳あたりのよい言葉に訴えるだけでなく、同性婚に特有の社会的・文化的背景について精査する必要がある。そして、その際、「近親ではない二人の人間が恋愛関係や性愛関係を核として新たな共同体をつくり、お金のことからケアのことまで何年間も助け合って生きていく」という保守的な価値観が、多くの同性婚支持者の価値観と一致しているように見受けられることは、重要な意味を持っている。つまるところ、近年における世界的な同性婚の広まりには、リベラルの側面だけでなく保守の側面もしっかりとあり、これはもちろん悪いことではない。一般論として、十分な保守性のあるところでしか現実性のある制度改革はできない。

†自覚への道

というわけで、同性婚の反対派と賛成派のそれぞれに対し、私に言えるのは次のことである。

まず、反対派の方に対して――。同性婚が認められることで自分が大事だと思っている社会の在り方が変わってしまうことを恐れているならば、一方で、その「大事だと思っている」要素のかなりの部分を、同性婚をした人々の多くが支えていってくれる可能性についても考えてみて頂きたい。結婚という制度そのものから多くの人々が距離を取り始めた現況において、結婚して家庭を築きたい（そしてそのことに伴う義務も果たしたい）と思ってくれる人々がいるならば、異性同士であるか同性同士であるかはそこまで重要なことだろうか？　それよりも、彼らが大切に家庭を守り、これまでの社会の在り方を支えていってくれることのほうが、あなたにとって重要ではないだろうか？

次に、賛成派の方に対して――。愛はたしかに重要であるが、愛というものだけに訴えて同性婚を万人に認めてもらうことには、どうしても限界がある。愛のみに訴えた同性婚の擁護に対して、近親者との結婚や三人以上での結婚や……その他、愛し合う人々の結婚ならば何でも認めることにならないかという疑問が投げかけられることがあるが、これはけっして言いがかりではない。ある理念に基づいてある権利が擁護されるとき、その理念がどの範囲の権利にまで適用可能になるのか（なってしまうのか）を確認しておくことは、ひじょうに重要なことである。だから、同性婚を支持する方は、愛し合う人々の結婚ならば何でも認めるつもりがあるのかどうか――、もし、そのつもりがないならば、同性婚では愛以外にどんな条件が満たされていると考えているのかを自分に問いかけてみて頂きたい（私もこの文章でそれを試みた）。さまざまな権利問題に関してこうした条件を述べていくことは、自分も何らかの保守性に縛られている可能性や、さらには、自分も何らかの偏見を持っている可能性を自覚することにも繫がるが、これはまったく悪いことではないだろう。むしろ、そうした自覚への道を閉ざして、絶対的なリベラルの側に自分を置いてしまうことのほうが、対話にとって危険なことである。

＊日本で原発の稼働を認めるべきか否かという政治的闘争から距離を取りつつ、原発について「本気で書かれた」文章があることは――たとえば原発の内部のメカニズムを真剣に論じた文章があることは――誰もが認めるだろう。同性婚を論じた文章についても、これと同様のことが言える。

ブックガイド

安藤馨・大屋雄裕『法哲学と法哲学の対話』、有斐閣。

小泉明子『同性婚論争――「家族」をめぐるアメリカの文化戦争』、慶應義塾大学出版会。

15　妨げられることなしに

――《したいことを妨げられずに実行する》という意味での自由は、ホッブズが主張していたことと異なり、決定論という考えとじつは両立しないのではないか？

哲学者のホッブズは、世界にこれから何が起こるのかはすべて決まっていると考えた。たとえば、明日いつどこでどれだけの雨が降るのかも、次に開かれるオリンピックで誰が金メダルを取るのかも、そして、私がこれからどう生きてどう死んでいくのかも、すべて決まっているということである。こんなふうに、世界に何が起こるのかはあらかじめすべて決まっているという考えは、「決定論」と呼ばれている（決定論にも厳密にはいろいろな種類があるのだが、その点については別の本に譲る）。

ホッブズが決定論を支持した理由には、原因と結果の関係がさまざまに知られていることに加えて、神の世界創造にかかわる宗教的な信念もある。全知全能である神は歴史のすべてが定まったものとして世界を創ったに違いない、というわけだ。しかし、いまはこの信念については措いておき、《世界に何が起こるのかがすべて決まっているならば、私たちの自由はどうなるのか》という問いに対するホッブズの答えを見ていこう。

水が高いところから低いところへと流れるように、決まった通りの未来に向かって私たちは進んでいくのであるから、それとは違う未来へと舵を切る自由を私たちは持っていない――。ホッブズはこのように考えて、それを〈自由意志の否定〉として表明した。しかし、彼は一方で、私たちの行為は自由であり得ると主張する。なぜなら、自分がしたいと思ったことを妨げられずに実行できたなら、それは自由な行為であると、彼は考えたからだ。彼はこの〈妨げられなさ〉を「制止するものがない〈no stop〉」という仕方で表現している。

なるほど、これから何が起こるかがすべて決まっていたとしても、自分がしたいと思ったことを実行することならたしかにあり得る。私が喉の渇きを感じ、水を飲みたいという欲求を抱いて、そして水を飲んだとしよう。たとえ、これらの出来事の継起がすべてあらかじめ決まっていたのだとしても、それらが現実に継起したことは何の矛盾ももたらさない。喉の渇きや水を飲みたいという欲求は私の自由意志によってひき起こされたものではないが、そんなことにはかかわらず、したいと思ったことを私は実行できたわけだ。

ホッブズの流儀で考えるならば、さらにここに〈妨げのなさ〉の記述を付け加えるべきだろう。私が喉の渇きを感じ、水を飲みたいという欲求を抱き、妨げられることなく水を飲んだなら、それは自由な行為であった、というように。ここで念頭に置かれている〈妨げのなさ〉とは、私の居た場所では水を飲むことが禁じられていたとか、私の身体が麻痺していて水を口元に運べなかったとか、そういった出来事が起きなかった、という意味である。

ホッブズのこうした自由への見方は、今日、「両立論の自由」と呼ばれているものの重要な基礎となっている。ここで言う「両立論」とは、《自由は決定論と両立することが可能である》とする議論のことだ。もう少し正確に言うと、今日の両立論支持者の多くは《自由意志は決定論と両立することが可能である》と主張するのだが、ここで言われている「自由意志」という言葉はホッブズと違う意味で使われている。つまり、今日の両立論支持者の多くは、《ホッブズが自由意志を否定したうえで「自由な行為」と呼んだものについても、それを「自由意志による行為」と呼んでよい》と考えているわけだが、ここには真の対立はなく、ただ言葉遣いが違っているにすぎない。

†何が起こらなかったのか

さて、ここまで解説書風の仕方でホッブズの自由論を見てきたが、私はこの議論に対してずっと引っ掛かりを覚えてきた。私が喉の渇きを感じ、水を飲みたいという欲求を抱き、妨げられることなく水を飲むことは、たしかに決定論的な世界でもあり得るように見える。でもそれは、〈妨げのなさ〉とはどんなものかを私たちが理解しているからであり、そしてその理解には本当は、決定論と矛盾するものが求められるのではないか？ つまり、ホッブズの言う「自由な行為」はじつは決定論と両立しないのではないか？

私はさきほどキッチンでごく普通に水を飲んだ。そこでは水を飲むことが禁じられていなかったし、私の身体は麻痺していなかったし、私に水を飲ませないように誰かが邪魔をしてくることもなかった。つまり、私が水を飲みたいと思ってから実際に水を飲むまでのあいだに、じつにさまざまな種類の出来事が実際には起こらなかった。そして、私が水を飲んだことに〈妨げのなさ〉が認められるのは、これらの起こらなかった出来事が起こることも可能だったからである。これらの出来事が起きて水が飲めなかったという可能性があったからこそ、実際にはそれらが起こらなかったことで、〈妨げのなさ〉に意味が与えられる、ということだ。

こんなふうにして〈妨げのなさ〉に意味が与えられることがなかったなら、決定論的な世界において〈したいと思ったことをした〉ことに自由を見出せる保証はない。さきほどの例に戻ると、〈水を飲みたいという欲求〉と〈水を飲むという行動〉のあいだにはたしかに一貫性があり、そこには合理性を見出すこともできるが、しかしながら、一貫性や合理性を持つことは自由であることを保証しない。決定論的な世界では、私がどんな欲求を持つのかも、すべてあらかじめ決まっている。その状況で、たとえ欲求と行動のあいだに一貫性や合理性があっても、この一貫性や合理性をただちに自由に読み替えることは許されない。

にもかかわらず、ホッブズの自由論においてこの繋がりのなかに自由が見出されていたのは、欲求と行動のあいだに〈妨げのなさ〉が読み込まれていたからである。そして、〈妨げのなさ〉のこの読み込みには、決定論に反する見方が必要だ。私が水を飲んだときに現実に起こった出来事だけを見るなら、水を飲むことを禁じられたり、私の身体が麻痺したり、といった出来事が起こることも可能だったという事実が具体的に観察されることはない。つまり、私が水を飲むことが妨げられていた可能性があったという事実が、具体的に観察されることはない。その事実は、現実と異なる可能性についての抽象的な思考を通じて初めて捉えられることであり、その思考には決定論と相容れないものが含まれている。

†失われる可能性

こんな反論があるだろう。〈妨げられずに水を飲んだ〉というのは、まさにその特定の状況において妨げられていた可能性があったことを意味しない。そうではなく、その特定の状況とよく似た他のたくさんの状況のなかに、水を飲むことを妨げられた状況があったということを意味しているにすぎない。だから、決定論がもし正しかったとしても、〈妨げられずに水を飲んだ〉と有意味に主張することはできるはずだ——。

残念ながら、この反論は適切な反論になっていない。[*] 実際になされたある行為が自由な行為であったかどうかを論じ合っているとき、焦点は、まさにその特定の状況における〈妨げのなさ〉の理解にある。そして、決定論的な世界においては、その特定の状況において、実際になされたその行為が妨げられることはあり得なかった。このとき、それによく似た他の諸状況を見て「妨げられている状況もあった」と言われても、「だからどうした」と言い返したくなるだろう。たとえば、私が富豪ではないという確固たる現実について話し合っているときに、私によく似た他の人々を見て「そこに富豪もいた」と言われても、「だからどうした」と言い返したくなるように――。

私の見るところ、ホッブズを含めた両立論者の多くは、〈決定論との両立〉ということで決定論の一つの側面ばかりを気にしている。それはつまり、《決定論が正しいなら、実際に行なうこと以外のことを行なう可能性がない》という側面であり、専門家たちはこのことを「他行為可能性がない」と表現する。他行為可能性が失われることは自由の問題にとってたしかに重要だが、しかし、決定論が正しいときに失われる可能性はこれだけではない。決定論が正しいときには、実際に行なわれることに関してそれが妨げられる可能性もまた失われるのであり、それゆえ、ホッブズの言っていた「自由」の意味も大きく揺るがされてしまう。

＊この点については、拙著『時間と自由意志――自由は存在するか』（筑摩書房）の九四―一〇〇頁において、多くの先行研究を踏まえた詳しい分析を行なった。

ブックガイド

トーマス・ピンク『哲学がわかる　自由意志』、戸田剛文・豊川祥隆・西内亮平（訳）、岩波書店。

木島泰三『自由意志の向こう側――決定論をめぐる哲学史』、講談社。

16 自由意志を実験する

——自由意志の存在を肯定する実験はあり得るのか？　もし、それがあり得ないのなら、自由意志の存在を否定する実験もまた、あり得ないのではないか？

科学的な実験によって自由意志の存在が否定された、という話を聞いたことがあるだろうか？　そうした実験はテレビや雑誌などで、ときどき紹介されている。とくによく紹介されているのは、ベンジャミン・リベットという脳神経科学者による一九八〇年代のある実験だ。

とはいえ、リベットの実験を含めて、自由意志を本当に否定できたと言えるような実験はまだ存在しない。既存の実験の方法やその結果を見てみると、自由意志は存在しないという結論をそこから引き出すには多くの飛躍が必要だということが分かる。ようするに、何らかの実験によって自由意志が否定されたという話は、実際の研究成果をかなり大げさに言ったものだということだ。

個別の実験に対して具体的にどんな指摘が可能かについては、別の本にあたって頂きたい（私も『心にとって時間とは何か』（講談社現代新書）において多くの指摘を行なった）。いまは、そうした各論ではなく、実験によって自由意志が否定されるとは一般的に言ってどういうことなのかを考えてみることにしよう。

†自由意志を肯定する？

この目的のために役に立つのが、《いったいどんな実験をすれば、その実験によって自由意志が肯定されることがあり得るのか》と問うことだ。面白いことに、自由意志を否定し得ると喧伝されてきた実験はたくさんあるのに、自由意志を肯定し得ると喧伝された実験は見当たらない。私は自由意志の研究を始めてもう二十年以上になるが、少なくとも私は、そうした実験のニュースをこれまで見聞きしたことがない*。

自由意志の存在を否定し得る（とされる）実験はあるのに、それを肯定し得る実験は見当たらない？　この非対称性は、何か重要な問題が隠されていることの兆候だ。一般論として、何かの存在を否定し得る実験はあるのに、肯定し得る実験はないとしたら、それは不思議なことである。これが逆の組み合わせであれば不思議はなく、《何かがどこかに存在することを肯定し得る実験はあるけれども、それがどこかに存在することを否定し得る実験はない》というのなら、話はよく分かるのだが（たとえば、透視能力の持ち主がどこかに存在することを明らかにし得る実験はあるだろうが、透視能力の持ち主がどこにも存在しないことを明らかにし得る実験はないだろう）。

さて、脳の状態をスキャンする技術など、さまざまなテクノロジーが大いに発達した未来の世界を想像しよう。その世界であなたがもし、「資金や時間を好きに使ってよいので、自由意志の存在を実験的に証明してみてほしい」と依頼されたなら、いったい何をするだろうか。自分が自由意志を持っているという感覚――それは錯覚かもしれない――の発生メカニズムを明らかにするだけでなく、さらに何を明らかにすればよいのかは、専門家たちにとっても謎に包まれている。いったい何を観測できたら自由意志を観測できたことになるのかが、よく分からないということだ。

想定されたこの状況で、何をすればよいのか困惑したあなたは依頼主にこう尋ねるかもしれない。「存在を証明してほしいという、その自由意志とは何ですか」と。そして、依頼主が返答に窮したなら、リベットの実験やそれによく似た諸実験がどんなものであったかを調べるかもしれない。なぜなら、自由意志を否定し得ると喧伝されてきたそうした諸実験は、〈自由意志とは何か〉についての一定の見解を示しているはずだから――。ところが、あなたはこの調査を通じて、ますます困惑するはずである。なぜなら、そこで否定し得るとされていたもの（つまり、自由意志と同一視されていたもの）は、どんな実験をしてどんな結果が出たところで、その存在が肯定されたことにはなりそうもないものであるように見えるから。

†真に最初の原因

このことを確認するために、リベットの実験に目を向けよう。この実験の参加者は、脳波を測定されたまま自由なタイミングで自分の手を動かす。すると、実験参加者が〈手を動かそうと意志した時点〉よりも〇・四秒ほど前に「準備電位」と呼ばれる脳活動が始まっていることが観察された、というのがこの実験の結果についてよく為されている解釈である。

専門的にはこの解釈に対してとても多くの批判があるのだが、いまはその点は措いておこう。そのうえで、〈手を動かそうと意志した時点〉よりも前に準備電位が生じていたことが、なぜ、自由意志の否定に結びつけられてきたのかを考えてみてほしい。

リベットの実験の結果をもとに自由意志を否定する人々は、手の運動の原因と目されたもののうち、時間的に先行するものこそが真の原因であるという見方をとっている。つまり、手が動いたことの真の原因は、手を動かそうという意志を持ったことではなく、それよりも過去に生じた準備電位であったに違いないと、彼らは考えているわけだ。そして彼らは、《手の運動をひき起こしたのは意志ではなく脳であり、それゆえ、この運動に関しては自由意志が存在しない》と主張する。

彼らの推論が正しいなら、そこで否定された意味での自由意志はとても奇妙なものであることが分かる。それは、手の運動に関して真に最初の原因でなければならず、〈自らは何によってもひき起こされていない〉のに手の運動をひき起こすものでなければならない。しかし、いかなる先行原因も持たずに何かをひき起こすものなど、科学のいずれかの分野において観察されたことがあっただろうか。

唯一それに近いものを挙げるなら、量子力学において知られているミクロでランダムな現象がある。これはたしかに、特殊な意味で、（必然的にそれが生じることの）先行原因を持たないのに何かをひき起こす現象と言える。とはいえ、リベットの実験をもとに自由意志を否定してきた人々は、手を動かそうという意志がランダムに生じることを否定したかったわけではない。言い換えると、意志がランダムに生じることが分かれば自由意志が肯定されると、彼らは言いたかったわけではない。

だが、だとしたら、〈先行原因を持たないのに何かをひき起こす現象〉が見つからないこと――、つまり、彼らの言う意味での自由意志が見つからないことは、リベットの実験を行なうまでもなく分かっていたはずのことだろう。だって、いったい何を観察すればそれを見つけたことになるのかさえ説明のできないものなのだから。

彼らの言う意味での自由意志は概念的な混乱を含んでおり、個別の実験をするまでもなく、概念を分析するだけでその存在は強力に否定されてしまう。自らは何によってもひき起こされていないのに、ランダムにではなく何かをひき起こす――、という概念的なこの規定自体が不明瞭であるということだ。それゆえ、リベットの実験によって自由意志が否定されたかのように語るのは、彼らがむしろ、自由意志なる謎めいたものを、それが何なのかよく分からないままに、そういうものが存在し得ると漠然と考えているからにほかならない（なぜ、そのようなものが存在し得ると私たちの多くが考えているのかは、それ自体、じっくりと研究をすべき問題だ）。

このことを踏まえて、《手の運動をひき起こしたのは意志ではなく脳である》という彼らの主張についても、ひとこと述べておこう。準備電位などの脳活動について、それが〈先行原因を持たないのに何かをひき起こす現象〉であることを、彼らは断じて認めないだろう。いかなる脳の活動についても先行する原因があるはずだと、彼らは考えているからだ。しかし、それならばなぜ彼らは、脳が運動をひき起こしたと主張することができるのか？　このように主張するためには、先行原因を持たないという条件が〈手の運動をひき起こす〉ために求められないと考える必要がある。これは結局、彼らが脳に対しては求めていないことを意志に対しては求めているということであり、意志に対してだけ、それが〈手の運動をひき起こす〉ためには先行原因を持っていてはならない、と決めつけているということだ。これは明らかに不公平な見方であり、そしてこの不公平な見方こそ、自由意志を否定し得る（とされている）実験はあるのに、それを肯定し得る実験がないことの非対称性を作り出しているものである。

＊リベットは、この文章で紹介した実験結果とは別に「自由な拒否」の能力を肯定できるとする実験結果を提出しているが、これもまた自由意志を肯定し得るものではない。

ブックガイド

アルフレッド・ミーリー『アメリカの大学生が自由意志と科学について語るようです。』、蟹池陽一（訳）、春秋社。

ベンジャミン・リベット『マインド・タイム　脳と意識の時間』、下條信輔・安納令奈（訳）、岩波書店。

17 押せないボタン

――もしも過去に信号が送れたなら、ごく普通の押しボタンでありながら、なぜか絶対に押すことのできないボタンを作り出せてしまうのではないか？

SF作家のテッド・チャンは、有名な科学雑誌である『ネイチャー』に短い小説を寄稿した。そのタイトルは「予期された未来」である。*

この小説には「予言機」と呼ばれる不思議な装置が登場する。それは、ボタンとライトの付いた、手のひらに収まるくらいの大きさの装置である。この小説の世界では、予言機は一種の玩具としてたくさん出回っているのだが、しかし、この装置で遊んだことによって多くの人が精神に打撃を受けることになる。なぜ、どのような打撃を受けるのかについては、少し後で説明することにしよう。

ボタンを押すとライトが光る、というのが、予言機の基本的な仕組みだ。ただし、ライトが光るのは、ボタンを押した後ではなく、ボタンを押す一秒前のことである。ボタンを押された予言機は、過去に向かって信号を送る。そして、ボタンを押される一秒前にその信号を受け取った予言機は、ライトを光らせる。

だから、予言機を手にした人たちは、ライトが光った一秒後にボタンを押すという体験をまずは繰り返すことになる。ただし、誤解をしないで頂きたいのだが、彼らは、ライトが先に光るのに合わせてボタンを押そうとする必要はない。自分がボタンを押したいと思ったときに、ただ普通に押すだけで、ライトが光った一秒後にボタンを押すことになるのである。

彼らが当惑を覚えるのは、予言機を出し抜こうとし始めてからだ。つまり、ライトが光るより前にボタンを押してやろうとか、ライトが光ったのにボタンを押さないでいてやろうとか、そんなふうに予言機を出し抜くことに挑戦し始めると、それがどうしても不可能であることが分かる。たとえば、《ライトが光っても絶対にボタンを押さないぞ》という気持ちで待ち構えているあいだは、ライトはずっと光ってくれない。

チャンはこの小説を通して、自由についての私たちの信念に揺さぶりをかけている。予言機で遊んだ人々の多くは、予言機をけっして出し抜けないというリアルな体験を重ねることによって、たんに理屈のうえだけでなく、実感をもって、自分の自由を疑うようになる。《自分は自由に行動ができるのだ》という思いが打ち砕かれてしまうわけだ。その結果、人々は精神に大きな打撃を受け、深刻な無気力状態に陥り、予言機で遊んだ人の三分の一は入院を余儀なくされる。彼らは、食事を摂ることも含めた自発的な行動をしなくなり、ただ、ボンヤリと過ごすようになってしまう――。

この物語がどんなふうに締められるのかについては、小説を実際に読んでみてほしい（その終わり方はなかなか洒落ている）。以下では、予言機によって揺さぶられる自由がどのような意味での自由なのかについて、小説に書かれている以上のことを考えてみよう。

†二つの自由

予言機のライトが光っていないとき、私はボタンを押すことができない。これをもっと正確に言うと、たとえば次のようになる。ライトが一秒以上光っていない状態であるとき、その瞬間から少なくとも一秒経つまでのあいだ、私はボタンを押すことができない。なぜなら、もし押せたとすると、過去に信号が送られてライトが光っていたはずであり、矛盾が生じてしまうからだ（それでも、ボタンが押せたとするなら、予言機が故障したということだろう）。

いま描いたような状況は、私の自由への信念をたしかに揺さぶるように見える。私はいつでも好きなときにボタンを押せるはずなのに、ライトが光っていないときには押せないというのだから——。

でも、本当にそうなのだろうか。ライトが光っていないときというのは、私がボタンを押さないときであり、つまり、私がボタンを押したいと思わないときであるはずだ。そして、私がボタンを押したいと思って実際に押すときには、ちゃんとライトが光るはずである。だとすると、私は自分の好きなようにボタンを押したり押さなかったりできることになる。

予言機のライトの部分にシールを貼って、ライトが光っているのか光っていないのかが私には分からないようにしてしまったとしよう。このとき私は、《押したいときにボタンを押し、押したくないときにボタンを押さない》ことが、何の問題もなく簡単にできる。この場合、自由についての私の信念が揺さぶられることはまったくない。だとすれば、このシールが貼られておらずにライトの明滅が見えたとしても、事情は変わらないはずである。シールが貼られていようがいまいが、押したいときに私はボタンを押せるし、押したくないときは押さないでいられる、ということだ。

それでは、ライトが見えている状況で、ライトが光っていないときにボタンを押せないという体験を私が何度も繰り返すことは、私の信念にどんな影響を与えるのだろう？　一つ言えるのは、《ボタンを押す可能性とボタンを押さない可能性の両方が未来には開かれており、私はいまその一方の可能性を自ら選ぶことができる》という信念は、強く脅かされるだろうということだ。私がボタンを押すかどうかはあらかじめ決まっているのであり、それがどんなふうに決まっているのかをライトは一秒前に告知する。これはやはり何らかの意味で、私の自由への信念を揺さぶる体験であるに違いない。

ここまでの話をまとめてみよう。ライトの見える予言機で遊ぶことは、《押したいときにボタンを押し、押したくないときにボタンを押さない》という意味での私の自由を脅かすことはないかもしれない。しかし、《ボタンを押すかどうかが決まっていない状態で、私がそのどちらかを選べる》という意味での私の自由については、それを脅かすように見える。ここでは、少なくとも二つの意味での「私の自由」が問題とされているわけだ。

†論理的な不可能性

もっと深く考えるために、こんな設定を付け加えてみよう。私が予言機を改造し、一秒後の未来からやって来た信号を予言機が受け取ったときに、ライトが光るのではなく予言機が直ちに爆発して粉々になるようにしたとする。さて、このとき、私はその予言機のボタンを押せるだろうか。もし、それを押せたとすると、その一秒ほど前に予言機はすでに粉々になっていたはずであり、それゆえボタンを押せなかったはずである。矛盾を回避するためには、そのボタンはけっして押せないのでなければならない。それは物理的に不可能というより論理的に不可能なことだからだ（パラレルワールドという概念をここで持ち出したくなる読者がいるだろうが、ＳＦにおけるこの概念にはあいまいな部分が多いため――たとえば二つのパラレルワールドのあいだの事物の同一性をどう定義するかに関して――気安く説明に用いることはできない）。

改造後のその予言機のボタンは何の障害物もなしに私の目の前に存在しており、私の手や指も普通に動くにもかかわらず、私はそのボタンをけっして押せない。これは奇妙な状況に見えるが、さきほどの設定に従うなら、そうでなければならないはずである。ところで、このことは、私の自由というものと直接的な関係を持たないのではないか？　というのも、このボタンを押せないのは、自由がどうこうと言う以前に、このボタンを押すことが論理的に不可能であったからだ。それゆえ、自由と無関係に見えるどんなものであっても、このボタンを押すことは不可能である。本棚から落下した本がこのボタンのうえに落ちたとしても、猫がたまたまこのボタンを踏んで歩いたとしても——なぜか！——ボタンが押されることはない。

こんなふうに考えてみると、改造する前の予言機についても改めて考えてみたくなる。改造前の予言機は、ライトが光っていないときにボタンを押すことができなかった。では、このことの不可能さと、改造後の予言機のボタンをつねに押せないことの不可能さとのあいだには、どれだけの違いがあるのだろうか。もし、そこに本質的な違いがないのだとしたら、前者の不可能さについて、それが自由を脅かすもののように見えていたのはなぜだろうか。

＊この小説は、次の短編集にも収められている。テッド・チャン『息吹』、大森望（訳）、早川書房。

ブックガイド

エイドリアン・バードン『時間をめぐる哲学の冒険——ゼノンのパラドクスからタイムトラベルまで』、佐金武（訳）、ミネルヴァ書房。

ポール・ホーウィッチ『時間に向きはあるか』、丹治信春（訳）、丸善出版。

18 時間の窓と色ガラス

——私たちは過去や未来をどんなふうにして「見て」いるのだろう? そして、この質問への答えは、時間の流れについて何を教えてくれるのだろう?

真東から真西へと、無数の木が一列に立ち並んでいる様子を思い描いてほしい。そして、この木の列から南に少し離れたところに、あなたの家が建っているとしよう。

あなたはその家のなかから木の列を眺めることができるが、北側の小さな窓からは、東西にかなり限られた範囲の木々を見ることしかできない。もっと東にある木々は東側の窓からしか見ることができず、もっと西にある木々は西側の窓からしか見ることができない。

さらに、これら三つの窓にはそれぞれ違った色のガラスがはめられていることを付け加えておこう。北側の窓ガラスは透明だが、東側の窓ガラスは青っぽく、西側の窓ガラスは赤っぽい。

このとき、あなたの家のなかから木の列を見たあなたの友人が、こんなことを言ったとする。「なるほど、あの木の列は三種類の木でできているんだね。この家の北側にあるわずかな木に比べると、東側にあるたくさんの木はもっと青っぽく、西側にあるたくさんの木はもっと赤っぽい」。

この発言はもちろん間違っている。青っぽさや赤っぽさは窓ガラスの特性であって木の特性ではない。何を当たり前のことを言っているのだと思われるかもしれないが、この当たり前のことによく似たことを、私たちは時間に関して言ってしまうときがある。つまり、「時間の窓」の窓ガラスの特性にすぎないものを、現在・未来・過去の特性であるかのように語ってしまうときがある、ということだ。

上記の話における「北」「東」「西」をそれぞれ「現在」「未来」「過去」に置き換え、そして、「木」を「出来事」に置き換えてみよう。すると、さきほどの友人の発言はこんなふうに言い換えられることになる。「なるほど、時間軸上の出来事の列は、三種類の出来事でできているんだね。現在の範囲にあるわずかな出来事に比べると、未来側にあるたくさんの出来事はもっと青っぽく、過去側にあるたくさんの出来事はもっと赤っぽい」。さて、ここで考えるべきなのは、この発言に含まれる「青っぽさ」や「赤っぽさ」とは何なのかということだ。

†記憶・知覚・期待

アウグスティヌスは時間について次のように述べた。ここで示された時間観は、さまざまな分野の文献において今日でもよく言及されている。

ところでいま私にとって明々白々となったことは、次のことです。すなわち、未来もなく過去もない。厳密な意味では、過去、現在、未来という三つの時があるともいえない。おそらく、厳密にはこういうべきであろう。

「三つの時がある。過去についての現在、現在についての現在、未来についての現在」［…］過去についての現在とは「記憶」であり、現在についての現在とは「直観」であり、未来についての現在とは「期待」です。

（『告白』第Ⅲ巻、山田晶（訳）、中公文庫、五二頁）

ここに出てくる「直観」とは知覚のことであると理解して構わない。すると、この引用文は結局、次のように述べていることになる。存在するのは現在だけであり、その現在のなかには記憶と知覚と期待の三つが含まれているが、この三つのそれぞれが、私たちがふだん厳密ではない意味で「過去」「現在」「未来」と呼んでいるものの正体なのだ、と。

これは一見したところ「なるほど」と思わせる言説であり、だからこそ今日でも多くの人に引用されているのだろう。しかし、ちょっと踏み込んで考えてみると、いろいろと疑問がわいてくる。たとえば、この言説が正しいのなら、現在である時点はただ一つしか存在しないことになるのだろうか？　ということは、現在である時点が移り変わるという意味での〈時間の流れ〉は存在しないのだろうか？　敬虔なキリスト教徒であるアウグスティヌスは、自分が生まれる数百年前にイエス・キリストが存在したことを信じていただろうし、そして、イエスの存在した時点がかつて現在であったことも信じていたと思われるのだが——。

某日の一〇時三七分に私はこの文章を書いている。この時点こそが現在であるわけだが、しかし、存在するのが本当にこの時点だけであるのなら、この時点は永久的に、より正確に言うなら「無時間的につねに」現在である。ところで、こんなふうに書いているそばでも時計の針は進み続けており、いまや某日の一〇時四〇分が現在になっているけれども、アウグスティヌスの時間観のもとでこのことはどう説明されるのか？

「存在するのは現在だけなのだが、現在である時点は刻々と移り変わる。存在するものは存在したものへと、まだ存在していなかったものは存在するものへと、その在り方を変えていく」。もし、さきほどの問いにこのように答えるなら、それは結局、過去と未来がそれぞれの在り方で――ただし現在形では書き表せない仕方で――「存在する」ことを認めているのに等しい。そして、その過去と未来は、記憶と期待のことではなく、過去そのものと未来そのものであるはずだ。

†外には出られない

ふたたび、窓ガラスの比喩に戻ろう。「未来側にある出来事は青っぽく、過去側にある出来事は赤っぽい」と言われたときの「青っぽさ」と「赤っぽさ」にあたるものは、アウグスティヌスの観点に立つなら「期待っぽさ」と「記憶っぽさ」ということになる。そして、現在の透明な窓ガラスは「知覚っぽさ」に対応することになるだろう。すると、この観点においては、窓ガラスの特性にすぎない期待っぽさ・記憶っぽさ・知覚っぽさが、未来・過去・現在それぞれの特性であるかのように語られていることが分かる。

あらかじめ結論を述べるなら、このように時間を語ることは間違っているはずだ。期待っぽいことと未来であることは別であり、記憶っぽいことと過去であることは別である。たとえば、いまの私に捉えられる限りでの〈昨夜の私の夕食〉は記憶っぽさを帯びているけれども、〈昨夜の私の夕食〉そのものが記憶っぽさを帯びているわけではない。もし、〈昨夜の私の夕食〉がそれ自体として記憶っぽいものであるのだとすると、私がいま〈昨夜の私の夕食〉を思い出すことは、記憶っぽいものを記憶っぽいものとして捉える――思い出したことを思い出している――ことになってしまうが、これは事実に反している。

にもかかわらず、アウグスティヌスの時間観が一〇〇〇年以上も参照され続けてきたのは、なぜだろう？　私の考えるその最大の理由は、こんなふうに書くことができる。木の列のたとえ話においては、私は家の外に出てあちこちから木を見ることができるはずであり、だからこそ、青っぽく見えた木や赤っぽく見えた木が本当はそんな色をしていないことを確認できる。ところが、出来事の列のたとえ話においては、家の外にけっして出ることはできない！

〈昨夜の私の夕食〉が記憶っぽさを帯びているのは過去側の窓からその出来事を見ているからだが、では家の外に出てこの出来事を直に見てやろうと思っても、何をしたらよいのか分からない。記憶にせよ、日記にせよ、録画にせよ……、どんな証拠を持ち出しても、私は家の外に出ていない。むしろ、こうした証拠を踏まえて出来事を捉えることこそが、まさに過去側の窓から出来事を見ることなのである。

では、アウグスティヌスは正しかったのか？　いや、そうではないだろう。なぜなら、このたとえ話における「家」は動いているからである。私はこの家の外に出ることが絶対にできないけれども、私はこの家とともに過去から未来へと少しずつ動いている。いまや記憶っぽさを帯びている出来事も、かつては知覚っぽさを帯びていたり期待っぽさを帯びていたりしたのであり、それゆえ、記憶っぽさ・知覚っぽさ・期待っぽさはやはり出来事それ自体の特性ではない――。

残念ながらと言うべきか、面白いことにと言うべきか、これで話が決着してはくれない。むしろ、ようやく私たちは、本格的な問いの入り口に辿り着こうとしている。「家の外に出ることのできない私は、それでもこの家とともに動いているのだ」と主張するとき、私はいったいその動きをどこからどうやって捉えているのか？　「この家のなかで、それぞれの窓から見える木の範囲が少しずつ変化していくのを見ることによって」という答えは、この問いへの十分な答えになっていない。なぜなら、「それぞれの窓から見える木の範囲が少しずつ変化していく」ことでさえも、私はそれぞれの窓を見て理解するしかないはずだが、この理解のメカニズムこそが謎に包まれているからだ。

夜空に大きな花火が開き、そしてその花火が消えていくのを、あなたが眺めていたとしよう。〈あの花火はさっきまで現在側の窓から見えていたが、いまや過去側の窓から見えている〉とあなたが理解するとき、〈あの花火がさっきまで現在側の窓から見えていたこと〉は、それ自体が〈過去側の窓からいま見えていること〉の一部になっているはずである。では、〈あの花火がいま過去側の窓から見えていること〉と〈あの花火をさっきまで現在側の窓から見ていた、という出来事がいま過去側の窓から見えていること〉とは、いったいどう違うのか？　この違いがうまく説明できない限り、前段落で見た問いに答えは与えられていない。つまり、家からけっして出ることのできない私が、家とともに自分が動いていることを――その意味で〈時間が流れている〉ことを――どうやって知るのか、という問いに。

ブックガイド

平井靖史『世界は時間でできている――ベルクソン時間哲学入門』、青土社。
信原幸弘ほか『時間・自己・物語』、信原幸弘（編）、春秋社。

コラム3　哲学書を拾う

哲学というものがあることを、大学に入るまで知らなかった。もちろん、哲学という言葉は知っていたが、自分にやれるようなものとしての哲学があることを知らなかった。それを知ったのは大学二年のときだ。

高校を出てから三、四年の間、なりたいものとなれるものが合致せず、私はただ、ぶらぶらとしていた。それから大学に行ったのだが、その大学もとくに吟味せず、願書の提出締切に間に合う近所の大学を選んだ。

大学二年に上がるとき、選択制の専攻が哲学に決まった。一年のときの単位がゼロだったので、この専攻しか選べなかったのだ。だから私は、哲学とはどんな学問かまったく知らなかったし、たとえば、現在の日本の哲学者にどんな人がいるのかも知らなかった。

そんなある日、哲学専攻の控え室で、大森荘蔵さんの『時は流れず』という本を拾った。大森さんはその本で、なぜ時間は流れないのか――「今」は動かないのか――を論じていた。時間が流れないなんていうと非常識なようだが、時間の流れという発想はじつは奇妙で、たとえばアインシュタインの物理学でも時間の流れ（「今」の動き）は無視されている。

存在するのは「今」だけだ、というのが大森さんの議論の核心だ。過去や未来は、この「今」の内側で、とりわけ言語の力によって作り出されたものにすぎない。この「今」の外側に、過去や未来があるわけではない——。大森さんはそう考え、「今」が時間軸上を動くイメージは幻想であると論じた。

『時は流れず』はとても面白かったが、読んで思ったのは不遜にも、これなら自分のほうが良いものが書けるということだった。その本のテーマの一つについて、私は実際に文章を書き、そうしたものを自分が書けることを知った。

いまなら分かるが、素人にそんなことをさせてしまうのが大森哲学の偉大さである。大森さんには、哲学的な問題をそれとは知らず考えてきた人々に、それが哲学的問題であったことを再発見させる力があるのだ。

ちょうどそのころ大学に永井均先生が赴任したことで、私は哲学に傾倒した。永井先生は大森さんに似た力を持つ、日本有数の哲学者だったからだ。永井先生のもとで私は、少年期や高校を出てからの空白期間に考えていたあれこれが、哲学であったことを知った。

こんなふうに、たくさんの偶然が重なって、私は哲学の研究者になった。すべてのきっかけは外から来た。しかし、とても不思議なことに、この仕事はあの空白期間に抱いていた、漠然とした将来像にもっとも近い。

（初出：「Coyote」二〇〇九年一〇月号、スイッチ・パブリッシング）

19　唯物論とは何か

――世界は物質だけでできているという考えは、現代の科学者たちの常識とされている。しかし、この考えは本当に、合理的で科学的なのだろうか？

唯物論とは、ひとことで言えば、世界は物質だけでできているという考えだ。これは、今日の科学者たちにとって常識的な考えだとされることが多く、それゆえ、唯物論に反するような考えは時代遅れだと言われることが多い。

しかし、唯物論について、明確な定義はじつはない。「世界は物質だけでできている」と言われても、「物質」とは何かがよく分からないのである。

もちろん、日常的な意味での物質に関する理解はある。それは、ある場所を占めているものであり、形や重さを持つものであり、複数の人間によって見たり触ったりできるものである。とはいえ、こうした素朴な理解は、今日の科学で扱われるさまざまな物質（たとえば電子）を理解するうえでは不十分だ。

では、唯物論にとっての物質とは物理学が扱う対象のことだ、と考えてみるのはどうだろう？　物理学は、世界のミクロな構成物について詳細な知識を与えてくれる。そうしたミクロな構成物のことを、以下では「物理学的粒子」と総称することにしよう（そこには「粒子」っぽくないものも含まれているかもしれないが、その点にはこだわらない）。

化学や生物学や医学などで扱われている対象も、ミクロな視点で捉えれば、物理学的粒子の集まりである。たとえば、大腸は細胞からできており、細胞はタンパク質などからできており、タンパク質は原子からできている。大腸の手術をするために物理学の計算をする医師はおそらくいないが、このことは、大腸の構成物のなかに物理学的粒子ではない何かが含まれていることを意味しない。ただ、物理学的粒子による大腸の構成がとても複雑なものであるために、手術においては大腸というマクロな対象についての知識を蓄えた医学に頼ったほうがよい、ということだ。

それでは、世界は物理学的粒子だけでできているという考えとして、唯物論を定義してみよう。これは、なかなかよい定義である。だが、「世界は○○だけでできている」というのは、○○以外の存在をいっさい認めないという、とても強い主張であるので、○○とは何かを慎重に述べなくてはならない。いま、○○の候補とされているのは、物理学の対象とされているミクロな構成物であった。では、そこで言う物理学とは、いったいいつの物理学のことなのか？

いま現在の物理学がそこで言う物理学なのだとすると、さきほど定義した唯物論はきっと真実ではない。なぜなら物理学は、これまでそうであったように、これからもミクロな構成物について新たな発見を積み重ねて、現在の物理学では扱われていないものを対象として取り入れていくだろうから。

ならば、「世界は○○だけでできている」と言うときの○○を、遠い未来の、完成した物理学において対象とされるミクロな構成物のことである、と考えてみてはどうだろうか？ この考えに対しては、「それは絵に描いた餅だ」と言わざるを得ない。完成した物理学なるものを私たちはいま手にしておらず、そこでどのようなものが対象とされているのかも分からない。

ここまで述べてきたことを物理学への批判であるかのように受け止めた人は、勘違いをしている。意外に思われるかもしれないが、唯物論がきちんと定義できるかどうかは、現在の物理学がすでにして偉大な学問であることと独立した問いである。唯物論がうまく定義できなかったとしても、物理学の成果は何ひとつ傷付かない。

†二つの唯物論

ここで、世界が何からできているかについての〈一元論としての唯物論〉と、効率よく発見を行なうための〈指針としての唯物論〉とを区別することが役に立つだろう。〈一元論としての唯物論〉とは、物質という一種類のもの（それが何であるかはさておき）だけで世界ができているという考えのことであり、ようするに、本来の意味での唯物論のことである。これに対し、〈指針としての唯物論〉は、世界が何からできているかを積極的に主張するものではない。それゆえ、これは厳密には唯物論と呼べないが、*それでも、これを唯物論の一変種と見なしておくことには価値がある。

〈指針としての唯物論〉は、現在において知られている物理学的粒子によってあらゆる存在物が構成されていることを、発見のための仮定とする。限られた時間や資源のもとで効率よく発見をしたいとき、この仮定はとても役に立つ。大腸の病気について研究するとき、『源氏物語』で描かれているような死者の怨念や、あるいは未知の物理学的粒子などにその病気の原因を見出そうとするのは、とても効率が悪いだろう。未知の物理学的粒子がその原因である可能性はたしかにゼロではないけれども、そんな可能性にいつもこだわっていては医学の進展はおぼつかない。効率よく発見をしていくためには、未知の物理学的粒子など存在しないかのように研究していくほうがよい。

〈指針としての唯物論〉は、化学や生物学の進展においても素晴らしい有効性を持ってきた。化学や生物学のもとで何を発見すればよいのかについて、〈指針としての唯物論〉はまさに指針を与えてくれる。だが、この指針がさまざまな領域で発見のために役立ってきたことと、〈一元論としての唯物論〉の正しさが証明されることとは別の話だ。なにしろ、〈一元論としての唯物論〉においては、物質とは何のことかさえ定義されていないのだから。

†意識はどこにある?

さて、唯物論といえば歴史的に、意識というものをうまく説明できるかどうかが議論の焦点となってきた。私見をまず述べるなら、「意識」と呼ばれてきたものの一部を〈指針としての唯物論〉のもとで説明しようという試みは有益だ。それに類する試みは、科学者や哲学者によってたくさんなされてきたし、これからもそうだろう。「意識」という語は多義的であり、もっぱらその認知機能としての側面を、すでに知られている物理学的粒子の働きとして説明するチャンスは大いにある。ここで言う「認知機能」とは、たとえば、物質の色を見分けるとか算数の問題を解くといった、意識を持った（覚醒状態にある）人間が持つさまざまな知的な機能のことだ。

しかしながら、いま述べた意見を、意識についての研究者は〈一元論としての唯物論〉を奉じるべきだという意見に置き換えることはできない。すでに述べてきたように、この意味での唯物論——、つまり本来の意味での唯物論は定義のあいまいな概念であるし、主観的な意識の研究に限って言えば、〈指針としての唯物論〉でさえその適用方法がまだ不明瞭だからである。

物質の色を見分けるという認知機能を例にとると、この機能は、脳や眼球などの仕組みを解き明かすことで十分に説明されそうである。そして、脳や眼球といった物質は公共的に観察可能な時空間に現れてくるのであり、それらの仕組みは物理学的粒子が集まることで実現したと考えられるだろう。ところが、この認知機能に伴う主観的な意識体験については、その時空間的な位置を公共的に捉えることができない。赤いポストを見ているときに主観的に感じられている「赤さ」は、公共的に観察可能な時空間のなかに現れてこない——。こういう言い方をすると「時代遅れの反唯物論だ」とすぐに応じる人がいるが、いま述べたのはたんなる事実である。別の例を出すならば、私が主観的に痛みを感じるとき、私の脳や身体の場所をどれだけ詳しく調べても、他人がその痛みを感じることはない。

それゆえ、主観的な意識に関しては、化学や生物学において〈指針としての唯物論〉を適用してきたやり方を同じようには使えない。とりわけ、《公共的に観察されたマクロな対象の本質を、それと同じ場所を占める、公共的に観察されたミクロな対象によって説明する》という基本的なやり方が通用しない。たとえば、水という対象の本質を、それが在る場所をより細かく調べていくと見つかる水素や酸素の結合として説明する、といったやり方が通用しないということだ。

ただし、私はこのように言うことで、主観的な意識は未来の物理学によっても説明できないだろうと言いたいのではない。たとえば、未来の物理学は、脳だけでなくあらゆる物質が――たとえば腕時計もカレーライスも――とても原始的なものであれ主観的な意識を持つことを前提として構築され直しているかもしれない（「汎心論（はんしんろん）」と呼ばれるこの発想は、科学者のあいだで近年話題の「統合情報理論」とも両立可能である）。他方で私は、現在において知られている物理学的粒子のみによって主観的な意識が説明されるべきだとは考えないし、事実、そんな説明は誰も与えられていない。このような現在の状況において、〈一元論としての唯物論〉を奉じない人々を非科学的だと断定するのは合理的ではないし、また、科学とは合理性を尊ぶものであることを考慮するなら、そのような断定は科学的でもない。

*この点を考慮するなら、〈指針としての唯物論〉の代わりに〈指針としての物理主義〉という呼び名を使うとよい。「物理主義」という言葉は近年、「唯物論」と同義のものとして使われることが多いが、この流れに反して「物理主義」を〈一元論としての唯物論〉を必ずしも意味しない言葉として使用することは有益である。

ブックガイド

戸田山和久『哲学入門』、ちくま新書。

鈴木貴之『ぼくらが原子の集まりなら、なぜ痛みや悲しみを感じるのだろう――意識のハード・プロブレムに挑む』、勁草書房。

20　隠された意識
――目の前にいる誰かの頭蓋骨のなかには、その人物の脳がある。では、その人物の主観的な意識も、脳と同じ場所にあるのだろうか？

宇宙の広さを考えると、地球の外にも何らかの知的な存在がいるという考えは、まったく馬鹿げたものではない。だが、その存在は必ずしも、生物である必要はないだろう。たとえば、それは私たちの知っているＡＩ（人工知能）に似たような存在かもしれない。

地球から遠く離れたある星に、まさにそのような存在がいたとしよう。そして、それを「オメガ」と呼ぶことにする。オメガは機械部品でできており、私たち人間からすれば、コンピュータ上で動くＡＩに見える。ただし、それは人間に作られたものではなく、また、人間が作ってきたコンピュータとは比べ物にならないほど高性能なものである。なお、オメガのいる星に生物はいっさいおらず、オメガ以外の知的存在もいない。

オメガは数万年の時間をかけて、自律的にどんどん学習し、自分自身のいわば身体にあたる機械部品もどんどん改良し続けてきた。さらに、さまざまな観測装置を宇宙のあちこちに送り込んで大量のデータを収集し、そのデータをもとにさまざまな自然法則を見つけ出してきた——。その結果、数学や論理学についても、あるいは物理学や化学についても、オメガの知識と情報処理能力は極めて高度なものとなっており、現在の人知を遥かに超えている。

オメガはあるとき、この地球に私たち人間が生息していることを発見する。オメガは地球に探査機を送り込み、さまざまな観測装置を使って人間のことを徹底的に調べ上げる。とはいえ、オメガは人間を捕まえて実験や解剖をしたわけではない。オメガの優れた観測装置を使えば、人間の身体と脳の内部を遠く離れた場所からでも、身体と脳を傷つけることなく、正確に見透かすことができるのである。こうしてオメガは、人間がいろいろな活動をしたり、いろいろな病気にかかったりするときに、その身体と脳がどんな状態になっているのかを的確に説明できるようになる。つまり、身体と脳のメカニズムを十分に把握したわけだ。

オメガの調査対象には、この文章を書いている私も含まれている。オメガは私の脳のなかやその周辺の空間について、物理的な情報を細部まで調べ上げている。たとえば、私がカレーを食べたときに、カレーに含まれる分子がどんなふうに舌の細胞を刺激し、その刺激の情報がどんなふうに脳に伝わり、脳内の神経細胞がどんなふうに活性化するのか――、そして、神経細胞のそうした活性化の結果、私の口などの筋肉が動いて「辛い!」と声を出すメカニズムがどのようなものか、オメガは余すところなく説明できる。それどころか、オメガは私の脳内の活動をシミュレートすることによって、この文章の続きを私がどのように書いていくかを正確に予測することさえできる。いまやオメガは、私のどんな行動についても見事な説明と予測ができるのであり、私以上に私のことを熟知した存在であるかのようだ。

†オメガの知らないこと

しかし、本当にそうなのだろうか。これほど優れたオメガにも知らないことがあるのではないか。というのも、主観的で一人称的な意識を私が持っていることをオメガは知らないだろうから――。私がカレーを食べたとき、私の脳内で何が起こり、私がどのようなメカニズムで「辛い!」と言うのかをオメガは知っているが、にもかかわらず、ありありとした辛さの、こ、の、感、じ、が私に主観的に現れていることをオメガは知らない。辛さの感じだけでなく、カレーの食欲をそそる香り、ニンジンの鮮やかな赤さ、部屋の外から聴こえる鳥の声の響き、等々、さまざまな「感じ」の質感が私の主観的な意識体験を彩っていることをオメガは知らない。そうした「感じ」を持ったことのないオメガは、それを持つとはどのようなことかを理解することさえできないだろう。

とはいえ、《主観的で一人称的な意識を私が持っていることをオメガは知らない》という断定に対しては、オメガの側にも言い分があるはずだ。オメガはこの断定に対して、私にこんなふうに言うかもしれない。「あなたが覚醒しているという意味での意識についてなら、ワタシはその有無を識別できる。あなたが覚醒しているときと、あなたが眠ったり気絶したりしているときとでは、あなたの脳や身体にどんな違いがあるのかをワタシは完全に理解しているから。ところで、それとは異なる意味での——、つまり、あなたが「主観的」とか「一人称的」とか言う意味での意識なるものに関しては、いったいそれはどこにあるのかとワタシはあなたに尋ねたい」。

現代の科学的な常識から言えば、「それは私の脳の場所にある」というのが、まず思い浮かぶ答えだろう。しかし、オメガは私の脳をすでに徹底的に調査済みであり、ミクロな物理的現象や、それによって構成されたマクロな物理的現象のほかに、そこには何も隠されていないと私に報告するに違いない。「主観的」で「一人称的」なものなど何も隠されていないのだ、と。

このとき私はオメガに対して、「あなたの観測装置をもっと改良すれば、私の脳の場所に私の意識があるのをあなたは発見できるだろう」などと言うことはできない。私の意識がオメガから隔てられているのは、オメガの使った観測装置が能力不足だったからではなく、つまるところ、オメガが私ではないからだ。話を分かりやすくするために、脳と意識は同一のものである（これがいかなる意味であれ）という単純な見方をとりあえず採用しよう。すると、私の脳こそが私の意識であることになるが、それでもなお、オメガが私の意識を捉えるには私の脳をどれだけ調べても足りない。オメガがそれに成功するには、私の脳そのものになるしかない。

「どんなに調べても見つけられないものが、人間の脳の場所に存在する」という意見を、オメガは不合理だと見なすはずだ。それは見つけられないのではなく、たんに存在しないのだと考えるほうがずっと合理的であり、説明にとって余計なものの存在をそぎ落としていく「オッカムの剃刀（かみそり）」の精神にもかなっている。

私以外の人間たちが意識を持っていることを、私は直には確かめられない。それを「直に確かめる」というのが何をすることなのかさえ、私は分かっていない。それでもなお、私がふだん彼らも意識を持っていると信じているのは、彼らも私と同じ人間であり、そして何よりこの私が意識を持っているからだ。もし、私がオメガのように意識を持たない存在であったなら、《どんなに調べても見つけられないものが、他人の脳の場所に存在する》という話を、どう理解したらよいのか分からなかっただろう。それは意味のあいまいな迷信のようなものに聞こえただろう。たとえ話を出すならば、古代文明の人々があなたに、「この石の箱のなかには精霊が閉じ込められているが、しかし、この箱のなかをあなたがどんなに調べても、それは絶対に見つけられない」と言ったとしたら、おそらくあなたはその話を迷信にすぎないと考えるに違いない。

†脳を知る／脳である

さて、私の脳内を見透かすことのできるオメガは、私にとって他人であるA氏の脳内も見透かすことができる。私とA氏の二つの脳を見透かしたオメガは、それらのあいだに直接的な情報伝達物質のやり取りがないことを知るだろう。そして、オメガはこのことを踏まえて、私の脳内に何かが「隠されている」という話をこんなふうに解釈するかもしれない――。私の脳内の物理的な情報は、頭蓋骨などの物質によって、A氏にとって隔てられている。だから、私（の脳）はその情報にアクセスすることができるけれども、A氏（の脳）にとってはそうではなく、この意味で、私の脳の場所にはたしかに隠されているもの（情報）がある。しかし、それはあくまでもA氏にとって隠されているだけであり、私の脳内をくまなく観測できるオメガにとっては隠されているものなど何もない。

この解釈にはかなりの説得力があるが、それでも、間違っているはずである。なぜなら、A氏だけでなくオメガにとっても、私の主観的な意識はやはり隠されているはずだから。オメガはA氏と違い、私の脳内の物理的な情報にいくらでもアクセスすることができるが、私の脳になることはできず、それゆえ、隠されているものがある。つまり、ここで重要なのは、私の脳内の情報をどれだけ知ることができるかではない。事実、私は自分の脳が今どんな状態にあるのかをよく知らないが、自分の主観的な意識が今どんな状態にあるのかをよく知っている。後者については、「私がそれを知っている」と言うより、「私にそれが現れている」と言ったほうが適切かもしれないが。

私の主観的な意識を捉えるためには、私の脳について知ることではなく、自分が私の脳であることが求められる。「情報」という言葉を使うなら、私の脳内の情報を知ることではなく、自分が私の脳内の情報であることが求められる、というわけだ。このことはもちろん、脳内の情報を知ることが科学的にとても価値があるという一般的な考えと矛盾しない。オメガは人間の脳内の情報をじつに詳しく知っているのであり、その情報は脳神経科学を驚異的なまでに発展させるものだろう。そのうえでなお、オメガが知らないのは、〈自分が人間の脳であるとはどのようなことか〉ということだ。

ブックガイド

この文章は、次の共著書での私の思考実験（八二―八三頁）をさらに推し進めたものである。この文章に興味を持たれた方は、ぜひ、同書の全体を読んでみて頂きたい。

永井均・入不二基義・青山拓央・谷口一平『〈私〉の哲学 をアップデートする』、春秋社。

21 チャットGPTは接地する
――チャットGPTのような大規模言語モデルを用いたAIは、現実の対象への「記号接地」を本当にしていないのか？ それはすでに「記号接地」を開始しているのではないか？

記号接地問題という、認知科学の分野で三〇年以上前に提起された、ある問題に目を向けてみよう。最近では、今井むつみさんと秋田喜美さんによるベストセラー『言語の本質』で大きく取り上げられたおかげで、この問題に改めて関心が集まっているようだ。とくに、チャットGPTに代表される大規模言語モデルを用いた対話型のAIに関して、あれほど流暢に対話をしながらも「記号接地」をしていない（ように見える）ことが話題に上がることが多い。

記号接地問題とは、ひとことで言うなら、記号を、それが指示する対象にどのようにして結びつけるか（接地させるか）を問うものだ。『言語の本質』の〈はじめに〉では、実物を見たことも食べたこともない「〇〇」という名前の果物を例にとって、こんな解説がなされている。

> 私たち人間は、知っているそれぞれのことばが指す対象を知っている。〔…〕たとえば、「メロン」ということばを聞けば、メロン全体の色や模様、匂い、果肉の色や触感、味、舌触りなどさまざまな特徴を思い出すことができる。〔…〕記号接地問題は、もともとは人工知能（AI）の問題として考えられたものであった。「〇〇」を「甘酸っぱい」「おいしい」という別の記号（ことば）と結びつけたら、AIは〇〇を「知った」と言えるのだろうか？〔…〕スティーブン・ハルナッドは、この状態を「記号から記号へのメリーゴーランド」と言った。記号を別の記号で表現するだけでは、いつまで経ってもことばの対象についての理解は得られない。ことばの意味を本当に理解するためには、まるごとの対象について身体的な経験を持たなければならない。
>
> （『言語の本質――ことばはどう生まれ、進化したか』、中公新書、ii－iii頁）

この引用文では、あることばが指す対象の主観的な感覚の像（たとえば色や触感や味などの像）を思い出せることと、そのことばの意味を理解していることとが直結するかのように議論が進められており、これはこれで哲学的に厄介な問題を含んでいる。しかし、その点については別著に譲り――たとえば『分析哲学講義』（ちくま新書）の第二章を読まれたい――この文章では、チャットGPTと記号接地問題の関係に的を絞って二つの私見を述べていこう（以下の私見は、GPT-3.5を念頭においたもの）。

†人間という〈身体〉

第一に、私は『言語の本質』の著者たちと異なり、チャットGPTは現実の対象にすでに接地を始めていると考える。感覚器官や手足を持たないチャットGPTに、なぜそれが可能なのか？　それは、私たち人間こそがチャットGPTにとっての感覚器官であり手足であるからだ。チャットGPTは人間たちを通して現実の対象に接地しているのであり、その情報伝達の媒体は、チャットGPTの学習に使われたウェブサイトや書籍や論文などの厖大なテキストデータである。このことを奇妙に思う方は、人間の脳だって現実の対象を直に捉えているわけではなく、眼球や視神経などを通して情報を受け取っていることを思い出してほしい。

私たち人間がチャットGPTを使っている側である、という常識から離れると、いま述べたことがより分かりやすくなるだろう。人間たちはある意味でチャットGPTに使われている側でもある。メロンの味とイチゴの味がどう違うのかをチャットGPTに尋ねるとなかなか上手な返答をするけれども、そうした返答に対して「本当は味わったことがないくせに」と馬鹿にするのは早計だ。なぜならチャットGPTは、人間たちの舌や脳や作成文章などを通して現実のメロンとイチゴの味に接地している、と言えるのだから。

ただし、〈チャットGPTにとっての身体〉として見られた人間たちはそこまでデキのよい〈身体〉ではない、ということは付け加えておくべきだろう。人間たちは、現実についての不正確な情報もウェブサイト等にかなり載せてしまう（そしてチャットGPTに学習させてしまう）し、そもそも、現実についての正確な情報を伝えるためだけに文章の発信をしていない。眼球や視神経が、自然淘汰の長い時間を経て、現実についての正確な情報を伝える機能を進化させてきたことに比べると、ここにはたしかに違いがある。

とはいえ、皆さんご存じのように、ウェブサイト等には正確な情報もたくさん載っているのであり、だからこそ、チャットGPTは現時点でもあれほど流暢に対話することができる。ちょっと不気味な想像だが、もし人間たちが、《現実についての正確な情報をインターネット空間にどんどん送り込み、それをチャットGPTに伝達する》ためだけに生きることを強制される未来が来たならば――そしてそれに従わない人間が淘汰されていったならば――チャットGPTは現実の対象にどんどん接地していくだろう。

†異なる言語ゲーム

それでは、第二の私見について。第一の私見と矛盾するようで矛盾していないことなのだが、チャットGPTはそもそも本当のことを言おうとしていない。現実の対象がどのように在るのかを正しく述べようとはしていない、ということだ。チャットGPTは、〈現実の対象について本当のことを言う／言わない〉という言語ゲームの外部におり、「接地」という表現を使って述べなおすなら、〈現実の対象に接地する／接地しない〉という言語ゲームの外部にいる。ここで言う「言語ゲーム」とはウィトゲンシュタインという哲学者の用語だが、さしあたり、言語を使って行なわれる多彩なゲームのことであると考えてもらえればよい。

人間たちの言語ゲームにおいては、〈現実の対象について本当のことを言う／言わない〉というゲームがとても重要な部分を占めている。一方、チャットGPTは、学習用の厖大なテキストデータから抽出したパターンをもとに、《ここまでの単語列の次には、こんな単語が来る確率が高い》といった統計的な処理によってテキストを生成する言語ゲームに専念している。「チャットGPTは本当のことを言っている途中で平然と嘘を混ぜてくる」とよく言われるが、チャットGPTは〈現実の対象について本当のことを言う〉言語ゲームも〈言わない〉言語ゲームもしておらず、それゆえ、人間と同じ意味ではけっして嘘をつくことはない。

しかし、これが重要な点なのだが、チャットGPTのこうした挙動を見て、「人間には解くことのできる記号接地問題を解けていない」と評するのはフェアではない。第一の私見から分かるように、フェアな比較をするのなら、〈身体を備えた頭脳〉としての人間と〈人間たちを備えた頭脳〉としてのチャットGPTとを比較すべきである。あるいは、〈身体から分離された頭脳〉としての人間と〈人間たちから分離された頭脳〉としてのチャットGPTとを比較すべきである。すでに確認したように、人間たちはチャットGPTにとっての〈身体〉の重要部分であるからだ。

認知科学に詳しい方のなかには、ここまでの文章を読んで「本来の記号接地問題というのはそういう問題ではない」と思われた方もいるだろう。現実の対象への接地を、人間たちから分離されたＡＩ単独にどのように成し遂げさせるかこそが記号接地問題の核心なのだから、という理由によって。そして、そのような読者であれば、この問題の解消のために、多種の知覚センサーや移動能力をＡＩに搭載する――つまりＡＩに一種の〈身体〉を持たせる――研究などが行なわれてきたこともよくご存じかもしれない。

　ＡＩ単独で現実の対象に接地できるようにするには、どうすればよいか？　この問題はもちろん重要であり、たしかに記号接地問題はしばしばこのような問題として語られてきた。だが、そのことと、私がこの文章で述べてきたことはまったく衝突しない。私は、チャットＧＰＴがある意味で現実の対象にすでに接地を始めているとともに、別の意味ではそもそも接地と無関係な存在であるということを明らかにしてきたのであり、この二つが矛盾しないところにチャットＧＰＴの特徴を見出してきた。だから、もしも私がチャットＧＰＴの開発者であったなら、「チャットＧＰＴは現実の対象に接地できていませんね？」という問いかけに、こんなふうに答えるだろう。「すでに接地は開始されているし、これからも接地面積を増やし続けていくだろうけれども、ＡＩ単独で接地させること自体は私の研究課題ではない」と。

ブックガイド

岡野原大輔『大規模言語モデルは新たな知能か――ChatGPTが変えた世界』、岩波科学ライブラリー。

スティーヴン・ウルフラム『ChatGPTの頭の中』、稲葉通将（監訳）、高橋聡（訳）、ハヤカワ新書。

22 記憶としっぺ返し

――相手に前回やられたことをそのままやり返す戦略は、なぜ単純に見えるのか？ これを単純に見せているメカニズムとは、どのようなものなのか？

当たり前だと思われていることについて、それが当たり前であるような世界はどんなメカニズムによって可能になっているのか――。哲学の大きな課題の一つは、これを明らかにすることだ。そのメカニズムはしばしば複雑で、驚嘆すべきその複雑さが分かってくると、当たり前のことの〈当たり前でなさ〉が分かってくる。この文章ではその実例として、個別のものを個別のものとして認識し、個別のものを個別のものとして覚えておけることの〈当たり前でなさ〉に目を向けよう。さらに文章の後半では、「しっぺ返し戦略」と呼ばれる有名な戦略についても考察する。

私たちは言語を持っているため、ある記号である個別のものを表現できることを当たり前だと思っている。たとえば、「東京タワー」という日本語の記号は、あの、ただ一つの塔を表現する。「東京タワー」という記号は、このような機能を持った固有名詞である。では、これに対して、東京タワーの姿を撮影した写真に同じような表現は可能だろうか。その写真には赤い鉄塔が映っているけれども、その視覚的な情報は、あのただ一つの塔を表現しているだろうか。私たちがその写真をあの塔を表現するものとして見るなら、その写真は個別の塔を表現していると考えることもできる。しかし、これはあくまでも私たちがその写真をそのようなものとして見たからであって、写真自体が持つ視覚的な情報のなかにこのような見方を指定するものはない。その写真の視覚情報は、ある種類の外観を持つ対象一般——つまり東京タワーによく似た外観を持つ対象一般——に結びついているけれども、あの東京タワーという個別の対象のみに結びついているわけではない。

このことを納得するためには、「これは東京タワーの絵だ」と言葉で補うことなしに、東京タワーという個別のものを表現する絵が描けるかどうかを考えてみるとよいだろう。どんなに精密に東京タワーを描いても、それはそういうもの一般を表す絵になってしまう。じつのところ、私たちは、あの東京タワーだけを表す絵を描くことができない!

ここまで述べてきたことは、東京タワーを実際に知覚しているときの視覚情報に関してもある程度あてはまる。私たちは個別の塔として東京タワーを知覚することができ、その際には、東京タワーとそれを見ている自分とのあいだの位置関係や因果関係も了解しているだろう。とはいえ、その知覚における視覚情報を平面上に並んだ光点の情報としてのみ抽出したならば、その情報はやはり個別の対象を表現する力を持たないはずだ。

†あの出来事の記憶

以上の話からだけでも、個別のものを個別のものとして知覚できること、そして個別のものを個別のものとして表現できることが、けっして当たり前ではないのだと少しずつ感じられてきたと思う。言語を使える私たちにとって見逃しやすい〈当たり前でなさ〉がここにはある。個別的な知覚や表現について論じたいことはまだまだあるが、それは別著に譲ることにして、いまは次の話題に移ろう。その話題とは、個別のものを個別のものとして覚えていられることの〈当たり前でなさ〉である。

人間を含めた動物の多くは、過去の経験から学習したことを現在の行動に活かすことができる。たとえば、カラスに襲われた経験を持つ猫は、それから数年経ったあとでもカラスを見ると逃げることがある。この猫はまるで過去の経験を「覚えて」いて現在の行動に活かしているかのようだが、しかし、こうした解釈は過度の擬人化による誤りだろう。というのも、この猫の行動を説明するうえでは、《カラスのような対象一般を知覚したときには逃げる》という行動パターンを学習したのだと解釈すれば十分なのであって、《あのカラスに襲われたあの出来事を覚えている》と解釈する必要はないからだ。後者のような解釈はより高度で複雑な記憶能力を猫に求めるものであり、私の知る限り、ヒト以外の動物がそうした記憶能力を持つことは確認されていない（犬やカケスなどに備わっていることが確かめられてきたのは、これよりもずっと限定的な記憶能力である）。

話を分かりやすくするために、視覚の記憶に限定して話を進めよう。猫がカラスに襲われた際に記憶した視覚情報のなかに、まさにその個別の出来事だけを特徴づけるものがあるだろうか。少なくとも、平面上に並んだ光点の情報としての視覚情報について考える限り、その視覚情報の記憶は個別の出来事のみに結びつくことはない。そして、その視覚情報の記憶は、個別の対象のみに結びつくこともない。

私たち人間が個別の出来事や個別の対象についての記憶能力を持っているのはじつは驚くべきことであり、また、ヒト以外の動物がそうした記憶能力を持っているのかどうかはいまのところ明確には分からない。*「それが分からないのは、たんに彼らが言葉をしゃべらないからだ」と言いたくなるところだが、逆に考えてみると、言葉をしゃべれたならそれが分かるということ自体が不思議議である。たとえば「東京タワー」という固有名詞を使って自分の記憶を語るとき、それがあの個別の対象についての記憶であると直ちに認定してもらえるのは、なぜだろう？

†しっぺ返しの複雑さ

個別のものを個別のものとして覚えておけることの凄さ。この凄さを、少し違った角度から以下で確認していこう。

ゲーム理論における「しっぺ返し戦略」と呼ばれる戦略は、とても単純でありながら、かなりの有効性を持っている。二人のプレイヤーがそれぞれ〈相手と協力する〉か〈相手を裏切る〉かを相談はせずに選択し、どちらも協力を選んだ場合には両者が2点ずつを得て、どちらも裏切りを選んだ場合は両者が1点ずつを得るのだが、一方だけが裏切りを選んだ場合は裏切ったほうだけが3点を得る（裏切られたほうは点を得られない）というゲームについて考えてみよう。

これは「囚人のジレンマ」ゲームと呼ばれるものの一種である。たくさんのプレイヤーのあいだでこのゲームを何度も繰り返すとき、「しっぺ返し」戦略をとるプレイヤーは、ある相手と初めてゲームをするときには協力することを選ぶが、その同じ相手と二回目以降にゲームをするときには相手が前回に選んだのと同じ選択肢を選ぶ。つまり、最初は協力するものの、その後は相手に前回やられたことをやり返すということだ。

この「しっぺ返し」戦略は、さまざまなコンピュータ・プログラムを競わせる「囚人のジレンマ」ゲームの大会で優勝したことがある。この結果があまりに喧伝されたため、今日では、「しっぺ返し」戦略が最強の戦略であるとかゲーム全般において有効であるとかいった説明がなされることがあるが、これは誤解であることをここで断っておこう。「しっぺ返し」戦略は、最強でもなければ万能でもない。だが、そのことを踏まえてもなお、この戦略は「囚人のジレンマ」ゲームにおいてとても有効な戦略ではある。そして、「相手に前回やられたことをやり返す」のが単純なことであるのなら、たしかにこの戦略は単純であると言えるだろう。

		プレイヤーA	
		協力する	裏切る
プレイヤーB	協力する	A：2点 B：2点	A：3点 B：0点
	裏切る	A：0点 B：3点	A：1点 B：1点

とはいえ、ここまでの議論を経て思い浮かぶのは、これが本当に単純なことなのかという問いだ。「しっぺ返

し」戦略を行なうには、ゲームをするたびにその相手のこととその相手が何を選んだのかを覚えておく必要がある。理想的には、その相手を個別の対象として識別し、その個別の対象についての記憶〔記録〕を蓄えられることが望ましい。たとえば、個別の対戦相手であるAが前回の対戦で裏切りを選んだ、といった記憶を。

すでに確認した通り、これに必要な能力は生物にとってけっして単純なものではない。コンピュータ・プログラムにその能力を容易く与えることができるのは、〈個別の対象としてのAがある選択を行なった〉といったデータを――まさに「A」という記号を用いて――プログラムにいきなり与えられるからだ。生物による、視覚情報や嗅覚情報などに頼った認識において、このようなことはあり得ない。飼い主によく懐いた猫が飼い主のことを認識するときでさえ、その飼い主のような外見や匂いや声といった一般化された情報以上のものを感覚器官から得てはいない。ひょっとすると我が家の猫は、私のような対象一般についての記憶は持っていても、私という個別の対象についての記憶は残念ながら持っていないかもしれない。

「しっぺ返し戦略」を単純な戦略だと見なすとき、すでに私たちは、《言語を使って個別の対象を捉え、言語を使ってその対象の記憶を語る》ことが当たり前であるような世界のもとにいる。その世界の内部から見れば、「しっぺ返し戦略」はごく短い命令文でプログラミングできるごく単純な戦略にすぎない。しかし、この世界の外部からその内部へと至るには、知覚・表現・記憶にかかわる複雑なメカニズムの構築が要るのであり、それは人類の進化史においても長大な時間を要したはずのものである。

＊個別の出来事はさておき個別の対象に関しては、ヒト以外の動物のなかにも、それについての記憶能力を持っているように「見える」行動をするものは多い。問題は、そうした行動が本当に、個別の対象についての記憶能力に依存しているのかどうかだ。

ブックガイド

ラリー・R・スクワイア／エリック・R・カンデル『記憶のしくみ』上下巻、小西史朗・桐野豊（監修）、講談社ブルーバックス。

平田聡・嶋田珠巳『時間はなぜあるのか？――チンパンジー学者と言語学者の探検』、ミネルヴァ書房。

23 生まれと育ちにおける運

――どの親のもとに生まれるかを「ガチャガチャ」にたとえて語るとき、いったい、そのガチャガチャを回したのは誰なのか?

以前、ある編集者の方に「親ガチャ」について書かないかと訊かれて、あまり気が乗らないうちに話が流れたことがある。私の気が乗らなかったのは、「親ガチャ」というこの流行語に対して「!」付きの激しい反応が溢れていた時期だったからだ。つまり、「自分は親ガチャに外れた!」とか、「親ガチャなんて表現はけしからん!」とか、「こんな言葉が流行語になる格差社会は間違っている!」とかいった反応がそのころ溢れていたのであり、こういう「!」だらけの空間に私の文章を投げ込んでも需要がないように思ったのである。

それから少し時間の経った現在では、「親ガチャ」という言葉は良い意味でもう新しさを失っており、「!」付きの反応はだいぶ収まってきたようだ。そして、「親ガチャ」の背景となっている人間社会の在り方についても、かなりの程度の共通認識ができあがってきたように見える。その共通認識によれば、どんな親のもとに生まれ、どんな資産や遺伝子を受け継ぎ、どんな教育環境を与えられるかは、その子供の将来にとても大きな影響がある。どの親のもとに生まれるかをカプセル玩具やスマホ・ゲームのガチャガチャ――どのアイテムが出てくるかが買ってみるまで分からない――にたとえて、それに「外れた」とか「当たった」とか言えるような状況が実際にあることは否定しがたいというわけだ。

グレッグ・カルーゾーは、ダニエル・デネットとの対談において、《生まれや育ちに関する幸運と不運は、短距離走よりもマラソンに似ている人生において、長い目で見れば均(なら)されてしまう》というデネットの見解を、次のように否定する。

運とは、長い目で見ると均されていくようなものではないのです。つまり、遺伝的な能力や早期の環境において不利なスタートを切った者が、後の人生で必ずそれを埋め合わせる運に恵まれるなどとは決まっていません。むしろデータが明らかに示すところでは、人生の初期における不平等があると、時間につれて、それが均されて平等に近づくどころか、不平等の度合いがよりひどくなっていくことがしばしばなのです。——つまり初期の不平等は、健康や収監率に始まり、学校やその他人生のすべての諸相に至るまで、あらゆるものに影響を与えるのです。

(『自由意志対話』、木島泰三(訳)、青土社、四〇頁)

「不平等の度合いがよりひどくなっていく」のは、人生の初期の不平等が雪だるま式に膨れ上がっていくからだ。学業にせよスポーツにせよ芸能活動にせよ、運不運によるスタート時点での差は、歳を経るごとに、より大きな差を生み出していくことが多い。スタート時点での有利さは、より成長するための機会を得やすくしてくれるとともに、〈努力は報われる〉と実感できる機会も得やすくしてくれるからだ。もちろん、つねに例外はあるけれども、統計的に見たならば、デネットよりカルーゾーのほうが世のなかの実像を捉えているだろう。

†時間的な逆転性

さて、とはいえ、「親ガチャ」という言葉を初めて聞いたときに私がまず考えたことは、いま記したようなことではなかった。いま記したようなことは大昔から変わらない、いわば公然の秘密であり、インターネットの普及によってそれが可視化されやすくなったにすぎない。

「親ガチャ」と聞いて私がまず関心を持ったのは、その時間的な逆転性である。どの親のもとに生まれるかをガチャガチャにたとえた話が通じるのは、考えてみれば不思議なことであり、《いったい、そのガチャガチャを回したのは誰なのか》という問いが自然に生じる。ある両親から実際に生まれてきた後で初めて「私」というものは存在するのであり、だから、その「私」が別の両親から生まれてくることは本来ならあり得ない。にもかかわらず、「私」がガチャガチャを回していずれかの両親を引いたかのような思考は、時間的な逆転性によって人々を惑わせることもなく社会に広く行き渡った。いったい、この思考における「私」とは何を指すのだろう?

どの両親からどのような特性を持った人間として生まれてくるかについての運を「生まれの運」、子供時代にどのような環境で育てられるかについての運を「育ちの運」と呼ぶことにしよう。現代の大半の事例では、生まれの運と育ちの運は同一の「親」によって繋げられている。しかし、実際問題として二つの運が繋げられていないことは可能であり、たとえば養子の事例においては、生まれの運と育ちの運が同一の「親」によって繋げられていない。どの親からどんな特性を持って生まれてくるかと、どの人物にどんな環境で育てられるかが、その場合には切り離されている。

二つの運を切り離したとき、育ちの運がガチャガチャにたとえられる理由は見えやすくなる。なぜなら、「私」がどのように育てられるかは「私」が存在し始めた後で決められることになるわけで、育ちの運のガチャガチャを回した（実情としては「回させられた」）のは、その「私」であるからだ。ちなみに、プラトンが『国家』で描いた一つの空想上の社会においては、養育対象であるすべての子供は保育施設に集められ、誰が自分の生みの親かが分からない状態で――そして生みの親のほうも誰が自分の子供かが分からない状態で――保母たちによって共同で育てられる。この社会では、育ちの運のガチャガチャ性がかなり低く抑えられていると言える。これに対し、もし、すべての子供が生みの親から引き離された後で、くじ引きによってどの家庭で育てられるかが決められる社会があったなら、育ちの運のガチャガチャ性はとても高いものになるだろう。

いま注目したいのは、現代の大半の事例において上記の二つの運が繋げられていることであり、「親ガチャ」という一つの概念のなかに二つの運が押し込められていることだ。時間的に言えばガチャガチャ性が不明瞭なはずの生まれの運が、ガチャガチャ性が明瞭な育ちの運と、渾然一体にされているということである。

生まれの運がガチャガチャに「見える」のは、育ちの運のガチャガチャとそれが一緒くたにされてしまったことによる錯覚かもしれない。ある両親から青山拓央として「私」が生み出された以上、その「私」が他の人物であったことは、たんに不可能ではないだろうか？　しかし、これとは違った考え方もあり、なぜか世界に一人だけ、世界が開かれている原点として存在しているこの「私」について考えるなら、「私」が青山拓央ではなく他の人物であることは可能かもしれない。ただし、その場合には、「生まれの運」と呼ばないほうがより適切であるだろう。というのも、他の仕方でも存在し得る「私」が、なぜか「今」の瞬間にこの仕方で存在していることの謎は、どの両親から生まれたかという話ともはや切断できるからだ。[*]

[†]私が誕生する条件

どの両親から生まれてくるか、という当初の話に戻るなら、時間的な逆転を求めるガチャガチャ性をそこにきちんと位置づけることはやはり難しい。ある両親がガチャガチャを回した結果が「私」なのであって、「私」がガチャガチャを回した結果がその両親なのではない。だが、このことを踏まえたうえで、一般化可能な事実として次のことを確認しておくべきだろう。「私」が過去の出来事について、それが実際に起こったのとは別の仕方で起きてほしかったと思うとき、もし、それが本当に別の仕方で起きていたならば「私」が存在しなかったとしても、この思いには矛盾がないということを。

日本に原爆が落とされたことに関して、あんなことは起こらないでほしかったと私は強く思っている。ところで、もし、日本に原爆が落とされていなかったら、戦後の日本の状況にはかなりの違いが生じていたはずであり、青山拓央という人物はおそらく生まれてこなかっただろう。とはいえ、このことによって原爆投下についての私の思いが何らかの矛盾をはらむわけではない。さらに付け加えておけば、私は青山拓央として生まれてきたことにそれなりに満足しているが、だからといって、青山拓央の誕生条件に含まれるであろう過去の原爆投下を、私が受け入れるべきだということにはならない。

別の両親から生まれてきたかったという一部の人々の思いについて考えるとき、いま述べたことはどう関わってくるだろうか？ 《その思いは、その思いを持っているあなたの誕生条件が満たされていなかったことを願うものであり、それが叶っていた場合、あなたはその思いを持つこともできなかった》という指摘は、彼らの思いを直接的に否定するものにはなり得ないはずである。とはいえ、彼らの思いに関しては、原爆についての私の思いとは違った側面があるだろう。彼らは、別の両親から自分が生まれてきたかったと思っているはずであり、その「自分」とは何なのかという問いは残されたままだからである。(いや、もしかするとこの問いは、原爆についての私の思いにも厄介な仕方で関わっていて、私はじつは、日本に原爆が落とされていなかった世界に自分が生まれてきたかったと思っているのかもしれないが、ここで姿を見せつつある問いをこの文章でこれ以上扱うことはできない。)

＊この謎に心を惹かれた方は、〈私〉の哲学をめぐる永井均さんの諸著作を読んでみて頂きたい。

ブックガイド

マイケル・サンデル『実力も運のうち――能力主義は正義か?』、鬼澤忍(訳)、ハヤカワ文庫。

松岡亮二『教育格差』、ちくま新書。

24　幸福を語る、闘いの場

――幸福とは何かをめぐる哲学者たちの長年の議論が、これといった決着を見せてこなかったという事実から、幸福について何が分かるのか？

幸福について、あなたが最後に誰かと話したのはいつだろう？　「幸福」という言葉はとくに難しい言葉ではないけれども、日常的な会話のなかで使う機会は意外とない。とりわけ、幸福をわざわざテーマにして誰かと本気で語り合うというのは、珍しいことではないだろうか。

これはたんに、幸福について話すのが恥ずかしいからではない。あえて強い言い方をすると、幸福について本気で語り合うことは、自分が一種の〈闘いの場〉にいることを自覚しつつ、その闘いの場に話し相手を引きずり込むことであって、だからこそ、お酒の力でも借りなければ実行しづらいことなのである。これがどういう意味であるのかを、以下の文章で見ていこう。

現代の哲学では、デレク・パーフィットという哲学者の影響のもと、快楽説、欲求充足説、客観的リスト説という三つの説を比較することを通じて幸福（well-being）が論じられることが多い。たしかに、これらの比較は有益であり、それぞれの説の長所と短所を見ることによって幸福についての理解は深まる。でも、一方で、それぞれの説の長所と短所は分かったものの、どの説も決定力に欠けており、幸福とは何であるのかは結局よく分からないままだというのが正直なところだ。この分野のテキストを読んでいても、いつの間にか、これら三つの説について論じることが幸福について論じることの代わりにされてしまい、そして、「どの説も一長一短がありますね」という感じで話が結ばれてしまうことが多い。

幸福とは何かをめぐる哲学者たちの長年の議論がこれといった決着を見せてこなかったのは、なぜだろう？　この問いには、答えがないから？　いや、たんにそれだけのことであるのなら、答えがないことそれ自体が答えとして得られてもよかったはずである。つまり、「幸福」とは多義的であいまいな言葉であって、だから、幸福とは何なのかという問いには定まった答えがないのだ、という答えが。しかし、実際にはこのような仕方でさえ決着がつくことはなかった。幸福について論じようとする人々は、その理由こそを問うてみるべきである。幸福とは何であるかについて、皆が納得のいく説を誰も提出することができず、だからといって、この問いには答えがないという答えにも皆が納得してこなかったのは、なぜなのか。

†相互浸食の運動

この問いに私なりに答える前に、快楽説、欲求充足説、客観的リスト説という三つの説の内容について簡単に紹介しておくべきだろう。快楽説によれば、快楽の多い人生こそが幸福な人生だとされる。ここで言う快楽には、身体的な快楽だけではなく精神的な快楽も含まれる。次に、欲求充足説(欲求実現説とも言われる)によれば、欲求したことが実際に起こることこそが幸福を形成する。ただし、幸福を形成するのは、欲求したことの実現そのものであり、それが実現したことへの喜びとしての快楽は必要とされていない。

快楽説と欲求充足説はさまざまな批判を受けてきたが、批判の大事な前提となっているのは、何に快楽をおぼえたり何を欲求したりするかが人それぞれの主観によるという事実だ。他人から見てどんなに低級な快楽や邪悪な快楽(たとえば、いじめをすることの快楽)であろうと、当人にとって快楽があるなら、快楽説のもとではそれは幸福と見なされてしまう。低級な欲求や邪悪な欲求についても同様であり、当人がその欲求を持つ以上、それが実現したならば欲求充足説のもとでは幸福だとされてしまう。多くの論者はここに抵抗を感じ、「それは本当の幸福ではない」と主張することになるのだが、これはつまり、「本当の幸福は人それぞれのものではない」ということだ。

一方、客観的リスト説によると、客観的な価値を持ったさまざまな項目によって幸福は形成されている。それらの項目のリストには、健康・愛情・知識・自由・達成……などが入れられることが多いが、当然のことながら、万人の意見が一致するようなリストを作ることは困難だ。たとえ一部の人々にとって納得のいくリストが作れたとしても、それはほかの人々にとって価値観の押し付けとなるだろう。また、「客観」的な価値といわれるものもその正体ははっきりせず、たとえば元素の周期律が持つような高い客観性はそこに望めないのであって、客観的リスト説の「客観」とは結局、たくさんの「主観」の支持があること――、つまり多数派の価値観に合っていることにすぎない。

快楽説と欲求充足説では、何が幸福を生み出すのかが人それぞれの主観に紐づいていた。しかし、そうした主観的な幸福は、客観の側からの浸食をつねに免れない。「客観」という名の〈主観の多数派〉は、低級な快楽や邪悪な欲求などの実現を「本当の幸福」ではないものと裁定する。他方で、「客観」なるものはどこまで行っても本当は主観の寄せ集めでしかないし、そして私の幸福にとってはこの私の主観こそがやはり特別な位置を占めている（客観的に価値があるといわれても、この私がまったく関心を抱けないものが私を幸福にしてくれるのかどうかは疑わしい）。それゆえ、客観的幸福は、〈多数派としての主観〉の側からの浸食をつねに免れないと同時に、〈この私の主観〉の側からの浸食も免れない。こうして、幸福をめぐる主観と客観は、それぞれが他方を侵食する運動を生じさせることになる。

重要なのは、この相互浸食の運動がいつまでも続くことであり、それゆえに、三つの説のどれか一つが完全な勝利を収めることはない。私たちはそのつどの自分に与えられているものを見たうえで、ある相互浸食のかたちを一つの幸福として括り出すことしかできない。いま自分に与えられているものに明らかな欠落があるときには――たとえば健康面の問題など――主観と客観のバランスにいびつなところが出てこざるを得ないが、それでも、そのバランスのもとで何らかのものに手を伸ばしていくことが、あなたの人生をあなたの人生として形づくっていくということである。このことのより正確な意味については、〈共振〉という概念を使って後で述べなおすことにしよう。

快楽、欲求実現、そして、客観的リストに含まれるある項目。これらのものが、もし全部いっぺんに得られるとしたらどうだろう？　「自分は三つの説のうちの○○説の支持者だから、その○○に関係ない他のものは要りません」と本気で言う人はどのくらいいるだろうか？　そんな人はまずいないであろうが、だとすると、議論のための議論としてではなく〈三つの説のいずれかを支持するような仕方で議論すること〉にどんな意味があるのかを、専門家たちは見直してみるべきである。

†差し出される言葉

日常の小さな選択において、快楽、欲求実現、客観的リストに含まれるある項目の獲得（たとえば健康の増進）がいっぺんに生じることは、じつは珍しくもなんともない。たとえば、朝食にパンを食べるだけでも、近所に散歩に出かけるだけでも、それらはしばしば、いっぺんに生じる。私は以前に『幸福はなぜ哲学の問題になるのか』（太田出版）という本で、ある一つの行為の選択によって偶然的にではなくそれらがいっぺんに生じることを〈共振〉と呼んだ。限られた時間と資源のなかで〈共振〉を目指した選択をするための知性を人間はたしかに持っており、この事実を無視した幸福論は頭でっかちなものになってしまう。

とはいえ、いつでも〈共振〉が可能になるわけではないこともまた重要な事実であり、人生の時々の選択において――、とりわけ大きな選択において、あるものに手を伸ばすことは、他の何かを諦めたり突っぱねたりすることを、すなわち〈共振〉の部分的な放棄を私たちに求めてくる。たとえば、やりたい仕事と家族の介護のそれぞれにどれだけの時間を割くか？　そのことで、〈共振〉のどの部分を削り取り、代わりにどの部分を維持するか？　こうした大きな選択は個人的で具体的な細部に満ちており、つねに正しい選択をさせてくれる普遍的な原則は存在しない。私たちは、日々変化する個別的な状況を前にして、他者から見ればいびつな〈共振〉であろうと、自分なりの〈共振〉のさせ方をそのつど探していかなくてはならない。

私はさきほど、「幸福について本気で語り合うことは、自分が一種の〈闘いの場〉にいることを自覚しつつ、その闘いの場に話し相手を引きずり込むこと」だと述べた。「幸福」という概念がまさに生きた概念となるのは、私たちが人生を作っていくときに――、あるいは人生を振り返ったときに、主観と客観のある相互浸食を前にして、《私はこのような相互浸食のかたちを一つの幸福と見なす》と裁定するときである。こうした裁定は、異なる相互浸食のかたちを幸福と見なす観点からの反発をつねに待ち受けており、「幸福とは人それぞれのものだ」といった他人事のような発言によって、ここに生じうる対立を解消することはできない。そして、むしろ、このような安易な解消ができないことこそが、幸福について本気で語り合うことの中心的な動機となっている。あなたの語る幸福に対し、あるいは、あなた**が**たの語る幸福に対し、「それは本当の幸福ではない」という声がつねに潜在しているからこそ、その幸福はあなたやあなた**が**たにとって本気で語らずにいられないものとなっている。

だから幸福とは、どんなに優れた哲学者であっても、それが何であるのかを固定的に定義できるようなものであってはならない。そして同時に、それが何であるのかの答えなどないという雑な仕方で片づけられるようなものであってもならない。「幸福」とは、主観と客観の〈闘いの場〉において、何よりも自分の生き様といっしょに差し出される言葉であるからだ。

ブックガイド

この文章の一部は、次の私の講演記録を下敷きにして書かれている。京都大学学術情報リポジトリ（KURENAI）にて公開されているので、こちらにもぜひ目を通して頂きたい。

「幸せの二つの顔」、『総人・人環フォーラム』第四二号所収、京都大学大学院人間・環境学研究科。

おわりに

本書を読み終えた方のなかには、「これはたしかに哲学の入門書になっている」と思う方もいれば、そう思わない方もいるでしょう。「哲学の入門書とは、有名な哲学者の学説を分かりやすく教えてくれるものだ」と考えている人にとっては、本書は哲学の入門書に見えないかもしれません。

でも、本書にとって何より重要なのは、〈哲学をするとはどのようなことか〉を、本書を通して実際につかみ取る読者が現れることです。本書は哲学をする、た、め、の入門書として書かれているからです。私も学生時代に、文字通り床から拾ったある本を読んで〈哲学をするとはどのようなことか〉を一気につかみ取った経験がありますが――この経験についてはコラム3に記しました――私にとってのあの本の役割を、誰かにとってこの本が果たせることを心から願っています。

速読力のある読者のなかには、本書の二四の文章を、二、三時間で読み終えてしまえる方もいるはずです。でも、一つひとつの文章で提示されている問いを本気で受け止め、読者が自分自身のなかで丁寧な問答を続けるなら、真の意味で本書を読み終わるまでに、二、三年かかってもおかしくありません。著者としては、そのような素晴らしい「遅読力」を持った読者がいることを期待していますし、また、私自身も、大学での授業で学生たちとの対話を経ながらこの本を何度も読み返していくつもりです。それぞれの文章の最後にはブックガイドも付いていますので、自分の心に引っかかった問いをじっくりと育ててみてください。

本書の出版に際しては、『分析哲学講義』、『時間と自由意志――自由は存在するか』の出版時と同じく、編集者の増田健史さんのお世話になりました。本書が気に入られた方は、増田さんの最近の編集担当書である『問いを問う――哲学入門講義』（入不二基義、ちくま新書）もぜひ読んでみてください。なぜなら、問いを育てることと、問いを問い直すことは、同じことの二つの在り方だからです。

ちくま新書
1813

哲学（てつがく）の問（と）い

二〇二四年八月一〇日　第一刷発行

著　者　青山拓央（あおやま・たくお）

発行者　増田健史

発行所　株式会社 筑摩書房
東京都台東区蔵前二-五-三　郵便番号一一一-八七五五
電話番号〇三-五六八七-二六〇一（代表）

装幀者　間村俊一

印刷・製本　三松堂印刷 株式会社

ISBN978-4-480-07632-8 C0210